QUEL DOMMAGE
QUE TU NE SOIS PAS PLUS NOIRE

Yasmine Modestine

Quel dommage
que tu ne sois pas plus noire

Max Milo
RÉCIT

© Max Milo Éditions, Paris, 2015
www.maxmilo.com
ISBN : 978-2-315-00637-3

À Samuel

La flamme vient de la cire blanche, de la mèche noire,
elle n'est ni cire ni mèche, elle est lumière.

Mario Serviable[1]

« *Il conviendra aussi, et c'est le troisième point, de dresser plus haut les barrières juridiques et raciales entre les Noirs et les métis, les métis et les Blancs, les Blancs et tous les sangs impurs.* » *Napoléon ira jusqu'à ordonner à Leclerc d'expulser de Saint-Domingue toute femme blanche qui aurait eu des rapports sexuels avec des Noirs.*
Louis Sala-Molins, *Le Code Noir ou le calvaire de Canaan.*

---

1. Géographe-urbaniste, docteur en études touristiques et premier inspecteur de la jeunesse et des sports issu de La Réunion.

AVERTISSEMENT

Chère lectrice, cher lecteur,

L'usage veut que l'on écrive un Noir, un Blanc, quand ces mots désignent des êtres humains selon qu'ils sont mélanodermes ou leucodermes, plutôt qu'un noir ou un blanc. Je préférerais qu'on ne les affuble pas d'une majuscule initiale puisqu'on n'éprouve pas le besoin d'en mettre à un blond, un roux, une brune, à moins de considérer que noir et blanc sont des ethnonymes et donc qu'être un noir ou un blanc désigne deux nationaux de pays différents. Mais, peu importent ces facéties, les dictionnaires imposent la majuscule. Donc un Noir, un Blanc, mais bizarrement… un métis.

Le métis n'a pas droit à la capitale, sans qu'on sache vraiment pourquoi. Quoique…

Toujours est-il qu'avec moi le Métis et la Métisse prennent aussi une majuscule initiale, et particulièrement dans ce livre dont l'auteure est une Métisse, de nationalité métisse (adjectif), son père, lui, étant de nationalité noire puisque c'est un Noir et sa mère, elle, de nationalité blanche puisque c'est une Blanche.

Yasmine Modestine

Prologue

Il y a un tableau à la Tate Britain à Londres de Thomas Cooper Gotch, *Alleluia*, devant lequel je suis tombée en arrêt, attirée par ses couleurs.

Il représente un chœur de jeunes filles, toutes vêtues de robes de couleurs et de textures différentes, leurs chevelures toutes différentes, de raides à frisées, de longues à coupées court.

Ce tableau est censé représenter la diversité des nations.

Je suis restée en arrêt devant la beauté des tons. Tout de suite, j'ai remarqué les couleurs de cheveux, pas une semblable à une autre, et je fus frappée par cette diversité, intriguée cependant par une absence d'autant plus frappante au milieu de toutes ces teintes chatoyantes.

La Tate Britain a cette particularité, grâce au critique d'art John Berger, de situer les tableaux dans leur contexte historique. Le visiteur est ainsi encouragé à mettre en perspective ce qu'il voit.

Pour *Alleluia*, il apprend donc que Thomas Cooper Gotch est un des membres fondateurs de la Royal Colonial Society

13

of British Artists, et on peut en déduire que son regard sur « la diversité des nations » est orienté par l'expansion coloniale de l'Empire britannique qui est alors à son apogée comme nous l'apprend la suite : « L'année qui suivit la présentation publique du tableau, fut l'année du jubilé de diamant de la reine Victoria qui célébrait la splendeur impériale de l'Empire britannique. »

S'éclaire ce qui manquait à mes yeux dans ce tableau : dans cette peinture qui fait si grand cas de la richesse de la couleur, toutes les jeunes filles sont blanches. Pourtant, par la différence de leur couleur et texture de cheveux, elles sont déjà métissées. Un métissage invisible, le *passing* tant redouté des empires coloniaux.

1

Veuillez cocher la case correspondante : *African – European – Asian*

L'autre jour, je suis allée passer un casting pour un rôle dans une série. Le casting, c'est l'entretien d'embauche des comédiens. Généralement, vous avez un texte à apprendre et vous venez le jouer devant la caméra.

L'entrée est spacieuse, très high-tech. Un immense miroir rond fait face à la porte. J'apprendrai qu'il se retourne pour laisser place à une bibliothèque. À côté du miroir, un Mac sur une tablette blanche. La page d'accueil demande aux comédiens de s'inscrire. C'est la première fois que je vois autant de technologie dans un bureau de casting. D'ordinaire, la directrice de casting écrit sur une feuille : nom, âge, taille, agent, téléphone, et la comédienne se présente devant la caméra en tenant un petit tableau avec son nom. Ici, la comédienne s'inscrit elle-même avec l'ordinateur. Nom, prénom, âge… Jusqu'ici tout va bien. Ethnie. Aïe !

Bien que cette répartition ne soit pas légale en France, dans le métier du cinéma et de la télévision, elle existe. Si l'on m'appelle, c'est qu'en général on cherche une comédienne métisse ou noire. C'est lors de ces castings que je m'aperçois avec anxiété du grand nombre de comédiennes métisses dont ni la télévision française, ni le cinéma, ni le théâtre ne rendent compte. J'ai rarement été appelée pour un rôle où la couleur de peau n'était pas précisée.

Faut-il ou ne faut-il pas décrire la couleur d'un personnage ? Il ne faut pas se mentir, la République est sans doute une et indivisible, mais ses habitants sont différents. Cela se voit. Le dire n'est pas du racisme. Mais que voit-on, comment et pourquoi ?

L'écran me propose : *African* ; *European* ; *Asian*.

Évidemment, je n'ai pas la possibilité de choisir plusieurs cases.

Et je suis ennuyée. Je sais bien ce qu'on veut me faire dire, mais voilà, je ne suis pas d'accord. Pas d'accord du tout. Je me tourne vers l'assistante de la directrice de casting, et dis, d'une toute petit voix :

— Je suis embêtée.

En réalité, je suis en colère ; comme Ally McBeal[2], m'est passé devant les yeux un dragon crachant du feu.

La jeune femme, visiblement habituée, me dit :

— Tu as plusieurs ethnies.

— Oui, je suis métisse.

— Oui, ce n'est pas grave, tu n'as qu'à en cocher une et je préciserai que tu es métisse.

---

2. *Ally McBeal* est une série américaine culte des années 1997-2002, avec Calista Flockhart (dans le rôle d'Ally McBeal) et Peter MacNicol (*Numb3rs*), où l'on voit de manière imagée ce que les protaganistes ressentent.

Avant même de finir sa phrase, elle se saisit de la souris et sans l'ombre d'une hésitation coche : *African*.

Je le savais bien sûr, mais quand même… Cela me fait le même effet à chaque fois. J'ai bien été tentée de cocher *European*, ce que je suis sans l'ombre d'un doute. Mais je n'allais pas me mettre à dos l'assistante ni la directrice de casting qui m'apprécie et m'a choisie pour me proposer à une réalisatrice de renom. Ce n'était pas le moment et je me suis tue.

Finalement, la jeune assistante a eu un réflexe blanc de voir mes cheveux plus frisés, ma peau un peu plus foncée que la sienne. Pourtant, si elle devait faire un casting avec des Africains, elle ne m'aurait plus trouvée africaine du tout ! Je ne conviens jamais dans ces cas-là, « trop claire, trop européenne, pas assez typée, pas assez ethnique ».

Je suis née à Montargis, dans le département du Loiret, et j'ai grandi en France, essentiellement en Normandie.

L'île qui est chère à mon cœur est la Grande-Bretagne. Depuis mon enfance, j'y vais très régulièrement. Je parle anglais couramment mais aucune langue d'Afrique. Je ne parle pas non plus le créole de la Martinique où est né mon père. Je n'ai jamais vraiment aimé être au soleil, j'ai vite très chaud au-dessus de 25 °C. Je me baigne dans la Manche. Mon père, lui, y trempait à peine les pieds.

Alors, qu'en 2014, on décide encore et toujours que je suis plus *African* qu'*European*, parce que mes cheveux frisent et que ma peau est café au lait, me fait mal. Je ne parviens pas à être indifférente. Si encore il y avait eu *West Indian* comme autre phénotype…

Je raconterai cette anecdote à une connaissance avec qui je déjeunais :

1. Veuillez cocher la case correspondante : *African – European – Asian*

— Ce sont vos cheveux crépus !

— Mais non, mes cheveux ne sont pas crépus, ils sont frisés. Enfin, vous qui connaissez l'Afrique !

Je n'ai pas songé à lui dire que mon médecin, juive comme elle, a les mêmes cheveux que moi et la peau claire, un autre métissage, mais elle aura le droit, elle, d'être *European*.

Que l'on parte de soi est normal. Évidemment, devant le cheveu plat, le mien est très frisé. Évidemment, ma peau est plus foncée que la peau blanche du Nord – mais pas forcément plus que celle du Sud. Je me souviens d'avoir été surprise devant la peau noire du Christ dans une église copte en Égypte, ce qui est pourtant normal vu l'endroit où il est né. Et je me souviens également d'avoir été surprise par l'extrême pâleur et la blondeur vénitienne du même Christ en Angleterre, comparativement aux représentations en France.

Or, on trouve des traces du Christ noir et de ses disciples noirs dans toute l'iconographie européenne, comme en témoignent certaines icônes du XIVe siècle. Par exemple, *Jeudi saint* de l'école de Pskov, en Russie[3], qui représente un Jésus noir aux cheveux crépus, lavant les pieds de ses disciples noirs aux cheveux frisés. Ou encore, l'icône de Moïse l'Éthiopien en Macédoine[4].

---

3. Pskov School of iconography, *Jeudi saint* (*Jésus lavant les pieds de ses disciples*), Russie (vers 1300) tempera sur bois. http://medievalpoc.tumblr.com/post/56435925757/pskov-school-of-iconography-maundy-thursday

4. *Saint Moïse l'Éthiopien*, Macédoine (1271), fresque. http://medievalpoc.tumblr.com/post/63731932993/jovan-saint-moses-the-ethiopian-macedonia

La réaction de l'assistante aurait peut-être pu se justifier, il y a longtemps, quand la télévision n'existait pas, quand moins de gens voyageaient… Et encore ! Car depuis le temps, depuis que les Asiatiques ont traversé le détroit de Béring, que les pharaons ont construit les pyramides, traversé eux aussi les océans, depuis Diodore de Sicile, depuis Hérodote, depuis Alexandre, depuis Rome, depuis Magellan, Marco Polo… Depuis tout ce temps que l'homme ne tient pas en place, se déplace et se mélange, de métissage en métissage… Eh bien, malgré tout ce temps, une jeune femme, apparemment blanche, mais aux cheveux sombres, ne voit pas que mes cheveux sont plus clairs que les siens, que mon visage a des taches de rousseur, que ma peau est café au lait ?

Pourquoi ne le voit-elle pas ? Quelle habitude fait qu'elle ne voit que l'Afrique en moi ? Où, quand a-t-elle désappris à voir ?

Son point de vue blanc est relatif, mais il se pose presque toujours en absolu. En réalité, tout le monde est métissé, depuis la nuit des temps.

L'ethnocentrisme rend aveugle et sourd :

Je suis allée en Martinique, en 2009, voir ma grand-mère paternelle que j'ai très peu vue dans ma vie. Dans un supermarché, une femme blanche me parle. Elle a un accent créole, le même que celui de mes cousines martiniquaises. Nous bavardons, et dans la conversation, je lui fais remarquer qu'elle a cet accent que je n'ai pas, ou que j'ai cet accent « métropolitain »[5] qu'elle n'a pas. Je la vois écarquiller les yeux. Pourtant, pour reprendre

---

5. « Métropole » est un nom lié à l'esclavage, je lui préfère « Hexagone ».

1. Veuillez cocher la case correspondante : *African – European – Asian*

les mots de Marie NDiaye, il était manifeste que cette dame apparemment blanche avait plus d'Antilles en elle que moi[6]. Elle serait considérée comme européenne, elle qui géographiquement est américaine et culturellement martiniquaise. Mais moi qui vis à Paris, qui ai grandi en Normandie, je n'ai pas le droit de l'être ?

Autre exemple : mon camarade Lucien me croise un jour au détour d'un studio d'enregistrement.

« Ah c'est de toi que me parlait Truc l'autre jour ! J'ai mis un temps fou avant de comprendre que la Black, c'était toi, il insistait et je ne voyais absolument pas de qui il parlait. Il n'avait qu'à me dire la Métisse ! »

Lucien est antillais, de peau marron foncé, et à ses yeux, je ne suis pas « black ».

Au passage, l'emploi de « Black » me gêne. Ce mot résume à lui tout seul notre malaise avec cette question de couleur. Il dit, d'une part, que seul le Noir américain est légitime et estimable – ce qui pendant longtemps fut le cas en France, notamment dans les milieux artistiques. D'autre part, il montre bien que le terme « Noir » est embarrassant. Et je comprends qu'il le soit, il l'est pour moi aussi. J'en suis arrivée à sursauter quand je l'entends dans un contexte tout à fait ordinaire : un café noir, un regard noir…

Quant au mot « nègre », même pour parler de *ghostwriter*, il m'est intolérable. Je voudrais qu'on le supprime. *Ghostwriter*, « écrivain fantôme », me semble plus juste pour parler de celui qui écrit de manière

---

6. In *Les Inrocks*, 30 août 2009. http://www.lesinrocks.com/2009/08/30/actualite/lecrivain-marie-ndiaye-aux-prises-avec-le-monde-1137985/2/

invisible, celui dont le nom ne sera pas sur la couverture. « Négresse » fait trop écho à tous ces mots d'insulte entendus pendant l'enfance, et à l'insistance de mon père à me noircir.

C'est très humiliant d'être assignée à résidence. C'est déstabilisant d'avoir à défendre son ADN et sa carte d'identité tout à la fois. Peu me chaut d'être d'ici ou d'ailleurs, mais :

> *Je suis né quelque part,*
> *Laissez-moi ce repère*
> *Ou je perds la mémoire* […]

comme chante Maxime Le Forestier. Cela veut dire, née de telle mère et de tel père. Nous n'y pouvons rien, 23 chromosomes de l'un, 23 de l'autre. Tous autant que nous sommes. Être réduit à 23, c'est faire de nous des moitiés de personnes. Marie NDiaye dit qu'elle est 100 % française, ce que dit aussi la peintre et plasticienne métisse Diagne Chanel[7] qui, quand on la présente comme franco-sénégalaise, rectifie : franco-sénégalaise implique une double nationalité, qu'elle n'a pas. Qui a le droit de venir leur dire qu'elles ne sont pas ce qu'elles sont ?

Les Métis sont souvent accusés de « renier une partie d'eux », alors qu'en réalité, ce sont eux qui sont niés.

En 2006, j'ai produit une émission pour France Culture intitulée *Métis nous sommes des 200 %, deux sangs pour sang*. Ce titre venait d'une anecdote que racontait la

---

7. *In* Yasmine Modestine, *Métis nous sommes des 200 %, deux sangs pour sang* pour l'émission *Surpris par la nuit* d'Alain Veinstein, France Culture, 2006.

---

1. Veuillez cocher la case correspondante : *African – European – Asian*

psychothérapeute et auteure Sokhna (prononcer Sorna) Fall. Elle était dans une boutique d'objets d'art africain, tenue par un Sénégalais.

— Tu es métisse ? demande-t-il sans vraiment demander, car il sait, les Noirs savent toujours.

Souvent les Noirs voient ce que des Blancs ne veulent pas voir. Ce que culturellement on leur a appris à ne pas voir, ce que depuis l'esclavage on leur a interdit de voir, de sa-voir, de voir ça !

— Oui, dit Sokhna, je suis moitié blanche, moitié noire.

— Non, dit-il, tu es 100 % blanche et 100 % noire.

S'il ne s'agissait que de couleur, noir n'aurait pas plus – ni moins – de signification pour une couleur de peau que pour les yeux ou les cheveux.

Cela dit, je dis bien « ni moins » car les cheveux noirs ne déclenchent pas le même imaginaire que les cheveux blonds dans notre civilisation chrétienne, pour des raisons relativement semblables aux fantasmes jetés sur la peau noire. Semblables mais nettement amoindries. Il n'y a pas eu d'esclavage des personnes au prétexte de leurs cheveux noirs, et même si les rousses ont souvent été maltraitées, voire lynchées pour sorcellerie, elles n'ont pas été colonisées. Aucune théorie ne s'est élevée érigeant leur couleur en infériorité – je crois – et je ne pense pas que mes amies rousses ou brunes aient un jour eu du mal à trouver un appartement au prétexte que « les brunes ou les rousses sont des gens bruyants », comme l'expliquait cet agent immobilier à ma mère, blanche, à propos des Antillais dont il semblerait que j'aie été alors la représentante, indépendamment de la présence de ma mère. Cet homme, par ailleurs, n'hésitait pas à rappeler ses origines italiennes, leur associant le sens de la fête qu'il reprochait justement aux Antillais. Tout est si absurde ! Mais cette absurdité n'est pas exceptionnelle, c'est son absence qui l'est. C'est cet homme, blanc, au supermarché qui me demande de l'aider à attraper un aliment et qui me sourit en me disant :

« Vous êtes métisse, n'est-ce pas ? Mon petit-fils est métis. »

Ouf !

Si donc il ne s'agissait que de couleur, on pourrait aujourd'hui dire noire sans avoir un malaise. En réalité, pour la peau, la couleur « noire » est tout de même assez rare. Elle est, comme disent les enfants, et l'on sait que la vérité sort de leurs bouches, marron, beige… Une petite fille de 6 ans dont le père est iranien et la mère normande disait de moi que j'étais beige, comme elle.

Donc, *African* est-il une ethnie ? Si oui, quelles sont les conditions pour y appartenir ? S'agit-il de parler une langue africaine ? Est-ce que le français est une langue africaine s'il est parlé en Afrique ?

Si la couleur de peau est le critère pour appartenir à l'Afrique alors les Indiens sont africains. Qu'est-ce qui fait qu'un comédien indien cocherait la case *Asian* ? Pourquoi, vue de France, une actrice anglaise d'origine indienne, comme Archie Panjabi (*The Good Wife*), et une comédienne française née au Vietnam, comme Linh-Dan Pham, cocheraient-elles toutes deux la même case, *Asian* ?

À partir de quel degré de couleur est-on africain ? Est-ce qu'un Africain serait d'accord ? Mais on ne lui demande pas son avis.

1. Veuillez cocher la case correspondante : *African – European – Asian*

Si je suis d'ethnie *African*, à l'intérieur de cette ethnie, que suis-je ? Bantoue ? Peule ? Sérère ? Tutsi ?

Aparté – J'ai toujours un coup au cœur chaque fois qu'un Blanc raconte son voyage en Afrique, de le voir orienter son visage vers moi. Très souvent, je rappelle que nous venons tous d'Afrique.

À ce propos, des généticiens danois viennent de séquencer l'ADN d'un des premiers Européens, âgé de 36 000 ans au moins, découvert dans le Caucase, en Russie, près de la frontière ukrainienne : c'est un Métis[8] ! Ce qui ne me surprend pas. Et l'article précise que l'ADN de cet homme à la peau sombre et aux yeux sombres « [...] ressemble beaucoup à celui de l'Européen contemporain[9] », c'est dire que la couleur de peau importe peu. Le premier Européen est bien caucasien, mais caucasien ne veut pas dire blanc.

---

8. http://io9.com/36-000-year-old-human-dna-reveals-europes-deep-past-1656204318 et
http://news.sciencemag.org/archaeology/2014/11/european-genetic-identity-may-stretch-back-36000-years
9. « [...] *looks a lot like a contemporary European's* ».

2

QUEL DOMMAGE QUE TU NE SOIS PAS PLUS NOIRE !

La jeune fille court au-devant de moi avec un grand sourire. Ses longs bras m'enlacent devant l'entrée du Conservatoire national supérieur d'art dramatique. Elle s'exclame :

« Oh, Yasmine, quel dommage que tu ne sois pas plus noire, je voudrais tellement que tu sois plus noire ! »

Les mots se collent en moi. Mon corps se mure. L'obscurité tombe.

Je ne sais rien de la suite. Je n'étais pas spécialement amie avec C… Nous avons dû échanger deux, trois paroles pendant les deux années que nous avions en commun, elle en troisième année, moi en deuxième. Plus tard, une fois sortie de la grande école du théâtre où j'étais si heureuse d'entrer, je raconterai cette histoire – et d'autres – à mes amies d'avant, celles qui ne m'ont jamais parlé de ma couleur, qui n'y ont même jamais pensé.

Mon amie Judith, une ravissante brune à la peau claire, aux longs cheveux sombres et bouclés qui font ressortir ses yeux verts, me regarde interloquée. Elle grimace.

— Qu'est-ce que ça veut dire ?

— Je ne sais pas.

Et ce sera partout la même question et toujours la même réponse. Jusqu'à cette émission sur le métissage que je réaliserai donc pour *Surpris par la nuit*. L'ingénieure du son, blanche, dont j'apprendrai que les enfants sont métis, me posera la question, elle aussi :

« Qu'est-ce que ça veut dire ? »

Mais, cette fois, je commencerai à apporter un élément de réponse. Pour cette émission, je lirai beaucoup de livres sur le métissage, empruntés à la bibliothèque de France Culture où la bibliothécaire, blanche, a elle aussi… des enfants métis. Nous sommes partout, il suffit de vouloir voir. Mais, seul David Vincent[10] !…

Je vais chercher des réponses à mes intuitions, à ce sentiment que j'ai que ma couleur pas tout à fait blanche, pas complètement noire, mes cheveux frisés, mais pas non plus crépus, ma peau qui évoque un début d'exotisme que ma francité brise net … bref, mes tissages intriguent, troublent, fascinent, dérangent.

Je vais sortir de ce sentiment de solitude et d'isolement, comme le chante Laurent Voulzy dans *Belle-Île-en-Mer-Marie-Galante*. Un sentiment d'isolement que je croise dans le métro sous les traits d'une adorable petite fille qui se rend à la Comédie-Française avec son grand-père. Elle a de longs cheveux mousseux, la peau café au lait, son grand-père est blanc. Elle connaît la tirade de Cyrano par cœur et son grand-père m'apprend qu'elle a joué Louis XIV à l'école. Elle a 10 ans. Je me dis que les temps changent et cela me rassure.

---

10. Référence à la série américaine *Les Envahisseurs*.

Puis, au moment de descendre à Franklin D. Roosevelt, la petite se tourne vers moi avec un joli sourire :

« Cela fait du bien de voir quelqu'un qui me ressemble ! »

Et les portes se ferment.

Pour mon émission, je vais donc interviewer Michel Giraud, chercheur en sociologie au CNRS. Je lui parle au téléphone : il a l'accent des Cévennes et j'imagine, par association, un homme ressemblant à Michel Cardoze. En arrivant à Radio France où nous nous étions donné rendez-vous, quelle ne fut pas ma surprise de voir… un homme métis ! Moi aussi je pense en blanc, forcément.

Est-ce cela que voulait dire C… ? Que je cassais son imaginaire ? Si elle avait dit : « Quel dommage que tu ne sois pas plus blanche ! », on y entendrait tout de suite le racisme. Pourtant cela revient au même. Mais elle a choisi « plus noire ». Pourquoi ma couleur de peau ne serait-elle pas assez foncée ?

Pas assez foncée pour pouvoir, clairement – oui j'ose ! – m'identifier comme autre.

Une autre que moi, je pourrais l'aider, la sauver, sans doute. (Un peu de paternalisme ne fait pas de mal.) *Mais là, Yasmine, comment je peux faire pour être utile avec toi qui est presque blanche, ça ne va pas. Tu me ressembles trop et ça me perturbe. Car si tu me ressembles sans être tout à fait blanche alors, de quelle couleur suis-je moi ? Ce n'est pas net tout ça, ça fait désordre, il faut un tracé entre le noir et le blanc pour bien se situer, pour que je me situe et te situe. J'aurais une amie noire, et je serai* fière d'avoir

2. Quel dommage que tu ne sois pas plus noire !

une amie noire, je serais bonne, nous serions bons, c'est
pour cela que je voudrais tellement que tu sois plus noire,
pour être bonne.

Des C…, me dira-t-on, il n'y en a pas tant que cela et c'est peut-être lui faire un trop grand sort. On me dira de passer, que je prends les choses trop à cœur, que j'exagère. Je répondrai que non, des C…, j'en ai connu d'autres.

Je me souviens de celle en colonie de vacances qui avait décidé de me rebaptiser Dorothée parce que la seule fille noire qu'elle connaissait se nommait Dorothée. J'en ai connu plusieurs et chaque fois, quelle que soit la forme, la phrase, le mot, chaque fois, je me suis senti niée, comme frappée à grands coups de poing.

Je me souviens de cette comédienne quand nous jouions ensemble, qui me dit : « Mon mari [un réalisateur connu, n.d.a.] trouve que tu devrais mettre un fond de teint plus foncé. C'est dommage que tu ne sois pas plus noire. »

C'est tout ce qu'il a retenu ? Pourtant, pas besoin d'avoir joué tout Shakespeare ou d'être abonné à la Comédie-Française pour savoir qu'un comédien, une comédienne, a envie d'entendre des choses agréables sur son jeu, sur la pièce, sur la mise en scène, quand il ou elle sort de scène. Eh bien non ! Moi, on me reproche de ne pas être plus noire, comme si cela enlevait de la qualité à mon jeu, de l'intérêt à la pièce. L'auteur appréciera et la metteuse en scène aussi.

S'il s'agit d'aller jouer *Le Dernier Roi d'Écosse*, comme Forest Whitaker, alors oui, on se fonce, comme peut se bronzer Isabelle Adjani pour *L'Été meurtrier*… Mais dans cette pièce, qui se déroulait dans une fête foraine, cela n'avait aucune utilité, sauf que… Métisse décidément, ça ne passe pas ! Trop claire pour être vraiment noire, mais alors pourquoi l'avoir choisie, si elle ne remplit pas sa fonction de Noire, sa fonction noire ?

Paradoxalement, la même comédienne dira un jour :

— Je t'ai vue partir avec un monsieur noir…, me laissant perplexe, m'obligeant à me creuser la tête pour deviner qu'en fin de compte il s'agissait de mon frère, qu'à 25 ans, je ne définissais ni comme un monsieur, ni comme noir.

— Mais mon frère n'est pas noir ! m'exclamais-je candidement.

D'autant qu'il est plus rosé que moi, moi qui, je le rappelle, aurais dû mettre un fond de teint plus foncé ! (Vous me suivez ?)

S'ajoute à cela, mais j'y reviendrai, que mon père a distribué les couleurs depuis longtemps et que mon frère est blanc et moi, noire.

— Oh peu importe, balaya-t-elle, en fronçant les sourcils.

Je me rappelle aussi cette vendeuse au Printemps à qui je demandais si elle voulait bien essayer un fond de teint que je souhaitais offrir à ma mère. Elle a fait la grimace et a refusé. Je sais bien que soudain, elle s'est sentie la mère d'une noiraude et c'était plus qu'elle ne pouvait supporter. De l'autre côté, elle ne voulait pas perdre une vente et a préféré me dire que je n'étais pas très foncée et que « ça ne ferait pas de différence ! ». Et vlan ! Me voilà alors blanche ! Un peu caméléons, les Métis prennent la couleur du dernier qui a parlé !

2. Quel dommage que tu ne sois pas plus noire !

Je ne sais pas si c'est être la mère d'une noiraude qui la dérangeait ou plutôt ce que cela impliquait, c'est-à-dire faire l'amour avec un Noir. J'ai eu quelques amies blanches qui m'ont avoué qu'elles ne feraient pas l'amour avec un Noir. Un Métis, peut-être, mais « un Noir… c'est plus compliqué… » J'en ai fait le sujet d'une pièce[11].

On peut aussi parfaitement entendre l'inverse, la réputation sexuelle des Noir(e)s mêle l'attraction et la répulsion.

Et puis cette directrice de théâtre qui reconnaissait la blancheur des scènes de théâtre, l'absence de rôles pour les comédiennes métisses, mais qui paradoxalement trouvait que « sur scène, je faisais presque blanche ». De quoi donc me plaignais-je ? Une amie lui avait répondu : « Avez-vous vu ses cheveux ? »

Mais aussi cette jeune femme dans le métro à qui je demande si elle est métisse (j'étais en préparation de mon émission sur le métissage). Elle a la peau plus foncée que la mienne, les cheveux plus lisses. Elle est à la fois guadeloupéenne et indienne.

« Là, je suis bronzée, me dit-elle, car je reviens de Guadeloupe, mais en hiver, je suis aussi blanche que vous. »

Deux expressions auraient fait rire certains de mes camarades blancs : « bronzée » et « aussi blanche que vous ». Pourtant, oui, je bronze, et oui, cela se voit.

Une anecdote, en passant – comme disait Jacqueline Maillan :

11. Yasmine Modestine, *Le Prince charmant*, Tarbes, Éditions Le Solitaire, 2011.

Quel dommage que tu ne sois pas plus noire

Je rentrais de Malte où j'avais passé une semaine avec une amie, blanche. Je ne me reconnaissais même plus dans la glace. Mon amie et moi avons fait un pari : nous étions sûres que personne ne verrait que j'étais toute noire, sauf ma voisine antillaise, et c'est bien ce qui arriva.

En souriant, je lui dis que je savais qu'elle allait voir ce que les Blancs ne voyaient presque jamais. Mon amie était présente. Et ma voisine de dire :

— Forcément, je vois que tu as bronzé puisqu'elle ne bronze pas !

— Si ! Elle a bronzé !

La scène dont j'avais l'habitude était retournée.

En réalité, le métissage est partout, ici dans les cheveux frisés, là dans la peau mate, là encore dans les lèvres pleines, dans la forme des yeux… Tous les jours, je vois les pérégrinations de nos ancêtres sur les visages des gens dans la rue. Mais non, c'est blanc ou noir. Et puis cet entre-deux, comme un no man's land qu'on se dépêche de noircir ou de blanchir, suivant qui cela arrange, tout en sachant que ce n'est pas tout à fait cela non plus.

Pourtant… Imaginez une scène de crime. Imaginez que je sois flic. Vous me décrivez Yannick Noah comme un monsieur noir, eh bien moi, je vois Lilian Thuram.

Métisse : pas assez noire, mais noire quand même ! Et évidemment, jamais assez blanche ! Donc nous, Métis(se)s, avons eu droit à toutes les questions sur les Noirs puis à des remarques personnalisées, liées à cette angoissante absence de quantité suffisante de mélanine ou de frisure de cheveux, néanmoins bien présentes.

Qu'est-ce qui dérange au juste ?

3

Oh, Noire, ou Métisse, comme tu veux !

J'ai toujours l'impression de déranger quand je dis que je suis métisse, autant parmi les Blancs que parmi les Noirs. D'un côté, on me reproche : « C'est quoi son problème, pourquoi elle ne veut pas être noire ? » De l'autre, on m'accuse, j'aurais des « problèmes avec ma couleur ». Vraiment ?

Depuis mon enfance, j'entends des mots sur moi qui m'attribuent une identité qui n'est pas la mienne, et qui parfois même me sortent du genre humain.

J'ai dû aller chercher de l'aide pour pouvoir défendre mon humanité. J'ai creusé les bibliothèques, fouillé les livres, surfé sur Internet, interrogé des personnes pour trouver confirmation que je n'étais pas un animal étrange, hybride, mi-chèvre, mi-bélier (chabine) ou mi-mule, mi-âne (mulâtresse)[12].

---

12. À l'origine, il y a une distinction raciale entre chabine et mulâtresse. Ils se confondent aujourd'hui aux Antilles pour signifier « Métisse ».

J'ai donc appris qu'au temps de l'esclavage, j'aurais été une mulâtresse, c'est-à-dire la fille d'un cheval et d'une ânesse, et même pas tout à fait une mule, puisque « -âtresse ».

À cette époque, mon père aurait été le cheval blanc et ma mère l'ânesse noire esclave, car le couple homme noir/femme blanche était rare, l'homme noir était tué et la femme blanche guère mieux traitée.

Le mot « métis » pour le genre humain apparaît au XVIe siècle, au moment de la conquête portugaise aux Amériques. Il concernait les enfants nés des colons portugais et des Indiens (*meticcios*). La Couronne portugaise a même encouragé un temps les mariages mixtes, entre les colons qui allaient arracher le caoutchouc et les Indiennes. Ces Métis étaient aussi appelés « Bois-Brûlés ».

Métis : « Se dit d'un hybride obtenu à partir de deux variétés différentes de la même espèce[13]. »

Le mot hybride est lourd de sens. Il vient du latin *ebrida,* produit du sanglier et de la truie et a été associé au grec *ubris* qui signifie « violence », « démesure », « viol ».

Et des viols, il y en a eu pendant l'esclavage. Beaucoup d'enfants naissaient de ces viols du maître sur l'esclave. Si le Code noir de 1685 n'interdisait pas les mariages entre maîtres et esclaves, ceux-ci étaient relativement rares, en revanche, que l'homme blanc ait une maîtresse noire était fréquent, et est encore la norme chez les descendants des esclavagistes, appelés « békés » en Martinique[14].

---

13. Larousse en ligne, 2015. http://www.larousse.fr/dictionnaires/francais/m%C3%A9tis_m%C3%A9tisse/50998
14. Édith Kovátz Beaudoux, *Les Blancs créoles de la Martinique. Une minorité dominante*, Paris, L'Harmattan, 2002.

Les théories racistes du XIXe siècle prônent que les mulâtres, à l'instar du bardot – et non du mulet – sont stériles.

C'est à cette époque que se construit l'imaginaire sur les Métis qui nous empoisonne encore : les mulâtres sont perçus comme dangereux et révolutionnaires, les mulâtresses sont des courtisanes, des ensorceleuses. Et bien sûr, à cause de leur sang noir, les deux cèdent trop facilement à l'émotion. Cette dualité les déchire et en fait des êtres troubles, des traîtres.

Mais l'histoire ne commence pas à l'esclavage.

Dans la mythologie grecque, Métis, est, entre autres interprétations, l'amante de Zeus et la mère d'Athéna. Souvent représentée par une femme à deux visages, elle est la déesse de la ruse et du conseil. La ruse est ici une qualité liée à la prudence et à l'intelligence.

La perception de la couleur de peau noire ne semblait pas déranger les Athéniens de l'Antiquité, dont l'Europe et particulièrement la France se revendiquent tant.

Ainsi, pour Hérodote – considéré comme le père de l'histoire parce qu'il s'est beaucoup baladé et qu'il a écrit sur ses promenades et ses rencontres – le sperme des Éthiopiens était noir.

Ce qui ne l'empêche pas d'ajouter : « Les Éthiopiens [du grec signifiant « visages brûlés », n.d.a.], dit-on, sont les plus grands et les plus beaux de tous les hommes. »

Ces grands hommes grecs étaient en admiration devant les Égyptiens, qu'Hérodote décrit aussi comme des « visages brûlés » et les relie aux Éthiopiens.

Pour Aristote, l'esclavage est naturel, mais la couleur de peau n'a rien à voir avec la condition d'esclave.

Alors pourquoi 2 000 ans et des poussières après, une jeune femme de 23 ans, intelligente, cultivée, issue d'un milieu aisé, artistique, me demande-t-elle, assise à côté de moi à la table de maquillage, juste avant que j'entre en scène pour jouer Salomé, rôle-titre de la pièce d'Oscar Wilde, dans le beau théâtre rénové du Conservatoire : « Au fait, Yasmine, est-ce que ça bronze un Noir ? »

Je me souviens de ce journaliste à Gwangju, lors de mon tour de chant en Corée, qui ne voyait pas la différence de couleur de peau entre ma manager blanche et moi. Il voyait simplement le fait que nous étions toutes deux occidentales. Les premières images de la France qu'il avait vues étaient celles d'un documentaire sur la Martinique, du coup pour lui, la France était un pays métissé. Ce qu'elle est.

Des métissages, il y en a toujours eu. Comment pourrait-il en être autrement ?

Au IVe siècle avant J.-C., Alexandre le Grand est allé jusqu'en Afrique. Je ne vois pas comment on aurait pu empêcher les hommes de se mêler aux populations, de coucher avec les femmes par amour ou de les violer, et les femmes d'être enceintes.

J'ai appris aussi qu'Aristote était lui-même considéré comme un métèque, c'est-à-dire un étranger et que ses droits étaient réduits à Athènes où il était nécessaire d'être de père et de mère athéniens pour être propriétaire, par exemple. De même, Alexandre était mixo-barbare, un demi-barbare. On dira de lui qu'il doit son tempérament passionné et colérique à ce côté barbare, ce qu'on dira également des Métis au XIXe siècle. C'est ce qui fera écrire à Senghor ces vers qui lui seront reprochés : « La raison est hellène et l'émotion nègre. » Alexandre était un Hellène à l'émotion nègre !

Entre 193 et 211 après J.-C., l'Empire romain est également très mélangé. C'est inévitable. On apprend, aux Archives nationales du Royaume-Uni (The National Archives), que des Romains noirs sont établis à York et à Burgh by Sands près de Carlisle, à proximité du mur d'Hadrien[15] – le mur de la série *Game of Thrones*.

Plusieurs commandants africains tenaient des positions dans le nord de l'Europe et d'autres Africains avaient des rangs élevés parmi les fantassins. Aujourd'hui, on s'étonne qu'un Noir soit autre chose qu'un footballeur, tout en le lui reprochant. Les Romains n'hésitaient pas à donner des postes de responsabilité à des hommes qu'ils en estimaient dignes. Alors qu'on en est à s'étonner de la composition exclusivement blanche des cabinets ministériels, eux, au contraire, allaient dans le sens de l'intégration. N'y aurait-il pas comme une légère régression ?

On imagine sans peine que ces hommes, comme tout militaire, ont eu des contacts avec la population locale et que des enfants sont nés. Les mariages ont d'ailleurs été légalisés par l'empereur Septimius Severus (Septime Sévère, 145-211), lui-même africain, métissé, dont la seconde épouse, syrienne, s'appelait Julia Domna. Les archives britanniques font l'hypothèse que Julia était elle-même noire, car Domna vient de l'arabe *dumayna* qui veut dire « noire »[16].

---

15. Le mur d'Hadrien est au nord de l'Angleterre, à la frontière avec ce qui n'est pas encore l'Écosse. C'est à Burgh by Sands qu'est mort Édouard Ier d'Angleterre, le 7 juillet 1307, alors qu'il conduisait une armée en Écosse.
16. The National Archives, Exposition *Black Presence, Asian and Black History in Britain, 1500-1850.* http://webarchive.nationalarchives. gov.uk/+/http:/www.nationalarchives.gov.uk/pathways/blackhistory/early_times/romans.htm

3. Oh, Noire ou Métisse, comme tu veux !

Les vases antiques grecs, mais aussi romains, témoignent de la présence des sang-mêlé. Je disais qu'il suffisait de vouloir voir. Encore faut-il aussi laisser voir, ne pas masquer leurs traces, ne pas les cacher dans les réserves des musées, ne pas changer les titres et les interprétations de ce que les tableaux, les vases, etc., représentent.

« Le dieu du vaincu est le diable du vainqueur », a dit Aimé Césaire[17].

Pour une comédienne, ces découvertes sont intéressantes. En effet, l'Antiquité gréco-romaine est un sujet fondamental du répertoire du théâtre, sans parler de toute sa mythologie qui forge nos imaginaires occidentaux. Mais continuons notre remontée dans le temps.

L'histoire des Métis est une histoire particulière pendant l'esclavage et la colonisation. À la fois utilisés et rejetés par les Blancs, les colons se servaient des Métis pour maintenir les Noirs à distance, tout en les méprisant. Les Noirs n'aimaient pas non plus les Métis, car être métis, au XVIIIᵉ siècle, c'était obtenir une certaine place dans la société : ils étaient automatiquement affranchis à 24 ans et certains avaient eux-mêmes des esclaves noirs. Les mulâtres formaient la bourgeoisie de couleur des Antilles :

« 1. Les affranchissements des mulâtres ont considérablement augmenté le nombre des libres, et cette classe de libres est sans contredit, en tout temps, le plus sûr appui des blancs contre la rébellion des esclaves : ils en ont eux-mêmes ; et pour peu qu'ils soient aisés, ils affectent avec les nègres la supériorité des blancs,

---

17. Aimé Césaire in *Magazine littéraire* n° 34, novembre 1969. Propos recueillis par François Beloux.

à quoi il leur faudrait renoncer si les esclaves secouaient le joug ; et en temps de guerre, les mulâtres sont une bonne milice à employer à la défense des côtes, parce que ce sont presque tous des hommes robustes et plus propres que les Européens, à soutenir les fatigues du climat.

2. La consommation qu'ils font des marchandises de France en quoi il emploient tout le profit de leur travail, est une des principales ressources du commerce des colonies[18]. »

Cependant, dès 1724, des ordonnances, réclamées par les colons de Martinique, Guadeloupe, Saint-Domingue (aujourd'hui Haïti) – qui craignaient le trop grand nombre de mulâtres économiquement indépendants –, interdisent tout à fait les mariages entre les Blancs et les Noires et empêchent les colons de reconnaître leurs enfants.

En 1802, Napoléon rétablit l'esclavage que la Convention avait aboli en février 1794 (ce qui ne veut pas dire que les colons obéirent) et interdit l'entrée des Noirs et des Métis sur le territoire hexagonal. Les Métis et les hommes libres de couleur se rebellent, et, jusqu'à l'abolition de l'esclavage, leur position est intenable. Ils voient leur liberté se réduire telle une peau de chagrin. Ils n'ont plus le droit de porter le nom de leur père blanc, ne peuvent se vêtir comme les Blancs, et, après avoir obtenu le 4 avril 1792 l'égalité juridique avec les Blancs, voient leur citoyenneté supprimée par l'arrêté du général Richepanse (ou Richepance), le 17 juillet 1802, sous le Consulat.

---

18. Voir l'article « mulâtres » de l'*Encyclopédie méthodique*, vol. 3, « Histoire », supplément Panckoucke [1788] à l'*Encyclopédie* de Diderot et d'Alembert, CD Rom Redon, 2000.

3. Oh, Noire ou Métisse, comme tu veux !

Tout au long du XIXᵉ siècle, le monde colonial établit une séparation nette entre la race blanche supérieure et les autres. Seulement, des enfants naissent et brouillent l'ordre colonial. Les Métis sont des fauteurs de trouble. Le monde colonial préfère même rejeter un des siens plutôt que de laisser entrer « l'indigène ». On destituera un fonctionnaire si celui-ci épouse une « colonisée » et reconnaît ses enfants, comme en témoigne Françoise Vergès dans mon émission. Son grand-père, Raymond Vergès, médecin à l'hôpital de Savannakhet puis consul au Laos, sera renvoyé du corps des fonctionnaires coloniaux pour avoir épousé une femme vietnamienne et reconnu leurs deux enfants, Jacques et Paul Vergès[19].

Aujourd'hui encore, des comportements coloniaux rejaillissent, comme le révèlent les propos violents du béké Alain Huygues-Despointes, entendus lors des manifestations de 2009 dans les DOM-TOM :

« Quand je vois des familles métissées avec des Blancs et des Noirs, les enfants naissent de couleurs différentes, il n'y a pas d'harmonie[20]. »

Bien sûr, ces propos suscitèrent de vives réactions de toute part. Racisme bien sûr, mais comment s'est-il construit ? Que disent ces mots ? De quel manque d'harmonie s'agit-il ? Quelle est donc cette dissonance, cette cacophonie que nous causerions donc, nous, Métis ? Quel ordre est réellement troublé ? Qui a fauté ?

---

19. *In* Yasmine Modestine, *Métis nous sommes des 200 %, deux sangs pour sang*, pour l'émission *Surpris par la nuit* d'Alain Veinstein, France Culture, 2006.
20. http://www.lemonde.fr/politique/article/2009/02/13/un-reportage-sur-les-bekes-enflamme-la-martinique_1154769_823448.html#

Si les békés, comme leurs ancêtres esclavagistes, ont des maîtresses noires, les femmes békés ont sur elles la charge d'assurer la pérennité du monde béké. Comme pour leurs ancêtres, il existe un interdit très fort qui pèse sur ces femmes de prendre un amant chez les Noirs.

Or, ces enfants métis montrent la faute : celle du père sans doute, mais aussi, pire, celle de la mère.

L'enfant métis est la transgression d'un double, voire d'un triple interdit :

1° celui des femmes de prendre un amant noir, violation la plus grande,

2° celui d'épouser sa concubine et de reconnaître des enfants, ce qui vaut perte de statut.

3° celui de l'ordre colonial qui entend maintenir l'apartheid.

On peut imaginer les cris (la voilà, la dissonance) de la femme trompée et la violence de l'homme trompé (la voilà, la cacophonie) quand paraît l'enfant métis. Sa naissance témoigne de la disharmonie du couple blanc, c'est le squelette dans le placard, la révélation du mensonge. On peut imaginer l'onde de choc dans une famille béké, la terreur identitaire d'un enfant béké : est-il vraiment ce qu'il croit être ?

La couleur de peau est un continuum de couleur, il n'y a pas d'un côté les Noirs, et de l'autre les Blancs. Ces enfants qu'on appelle Métis, mulâtres, sang-mêlé… montrent l'absurdité des classifications raciales. Ils font pire, ils disent : « Si moi je suis métis, alors toi aussi. »

« Qu'est-ce donc un Blanc ? Et d'abord c'est de quelle couleur ? » peut-on s'interroger en paraphrasant Jean Genet[21].

---

21. « Qu'est-ce donc un Noir ? Et d'abord c'est de quelle couleur ? », in *Les Nègres*, créée le 28 octobre 1959 à Paris, au théâtre de Lutèce. Texte publié pour l'édition originale à Paris chez L'Arbalète/Marc Barbezat, 1958.

3. Oh, Noire ou Métisse, comme tu veux !

C'est très insécurisant pour un monde qui a fondé son existence sur sa supériorité blanche.

Si le XIXe siècle résonne encore aujourd'hui, c'est aussi parce qu'il fut légitimé par la science. Celle-ci a servi de prétexte à la justification du racisme dont Arthur de Gobineau et son *Essai sur l'inégalité des races* est l'étendard.

Arthur de Gobineau est le petit-fils... d'une créole martiniquaise et il épousera... une créole martiniquaise. Revoilà nos békés ! Son anxiété quant à son identité blanche prend sa source dans la société martiniquaise très racialisée.

Il décrète que l'humanité se divise en trois races, inégales. La blanche, supérieure, dans laquelle la race aryenne y est davantage supérieure ; la noire, très inférieure, animale ; la jaune, médiocre, entre l'animal et l'intellect, représentant les petits commerçants.

Gobineau donne aux Noirs la puissance des sens et aux Blancs, la puissance du sens. Mais il pense, d'autre part que le métissage, qu'il sait inévitable avec la colonisation, permet l'apport de l'artistique aux Blancs tout en dégénérant la « race blanche » :

« Le nègre est la créature humaine la plus énergiquement saisie par l'émotion artistique, mais à cette condition indispensable que son intelligence en aura pénétré le sens et compris la portée [...] et là est le difficile avec le nègre[22]. »

Pendant que :

---

22. Arthur de Gobineau, *Essai sur l'inégalité des races humaines*, livre II, Paris, Didot, 1853.

Quel dommage que tu ne sois pas plus noire

« La race blanche possédait originairement le monopole de la beauté, de l'intelligence et de la force[23]. »

Et :

« Si donc les mélanges sont, dans une certaine limite, favorables à la masse de l'humanité, la relèvent et l'ennoblissent, ce n'est qu'aux dépens de cette humanité même, puisqu'ils l'abaissent, l'énervent, l'humilient, l'étêtent dans ses plus nobles éléments [...][24]

Le métissage est donc à la fois nécessaire et mortifère, une position très romantique en somme, romantisme dont il se revendiquait. Gobineau se voulait poète et sculpteur, il lui fallait être métis, donc, si l'on suit ses théories.

Car, le XIXᵉ siècle est aussi le siècle du romantisme. Ce sont les romantiques qui parlent d'impureté. Chateaubriand, par exemple, dans une vision sombre de l'espèce humaine, écrira dans ses *Mémoires d'outre-tombe*, à propos de son voyage en Amérique :

« Enfin, il s'est formé une espèce de peuple métis, né des colons et des Indiennes. Ces hommes, surnommés Bois-Brûlés, à cause de la couleur de leur peau, sont les courtiers de change entre les auteurs de leur double origine. Parlant la langue de leurs pères et de leurs mères, ils ont les vices des deux races. Ces bâtards de la nature civilisée et de la nature sauvage se vendent tantôt aux Américains, tantôt aux Anglais, pour leur livrer le monopole des pelleteries. »

Les romantiques glorifient les ténèbres, la souffrance, la tristesse, la souillure. Aussi, comme l'écrit

---

23. *Ibid.*
24. Arthur de Gobineau, *Essai sur l'inégalité des races humaines*, Livre Iᵉʳ, chap. 16, Paris, Édition Pierre Belfond, 1967.

3. Oh, Noire ou Métisse, comme tu veux !

Sylvie Chalaye[25], les personnages de théâtre métis leur plaisent : ils sont, par nature, torturés, déchirés entre deux mondes. Ces personnages deviennent violents à force d'être rejetés et donc perdants, ce qui est parfait quand on est romantique.

---

25. Sylvie Chalaye, *Du Noir au nègre. L'image du Noir au théâtre (1550-1960)*, Paris, L'Harmattan, 1998.

4

FAIS VOIR CE QUE ÇA FAIT SUR ELLE
LES CHEVEUX CHÂTAINS

Ce romantisme vénéneux est très attirant pour certains jeunes artistes en France.

Lorsque j'étais au Conservatoire, j'ai été distribuée dans un rôle qui instrumentalisait ma couleur de peau, c'est-à-dire qui se servait de ma couleur pour faire dire au texte des choses qu'il ne dit pas. L'inconscient et le préjugé sont si prégnants et si invisibles qu'ils ne sont jamais identifiés comme tels. Ce rôle m'a profondément blessée. Dans le jargon, on parle de « casser un élève ».

Certains élèves de la classe, en révolte contre notre professeur, l'acteur Michel Bouquet, avaient décidé de monter une pièce de théâtre. Ils avaient envie de jouer une pièce entière et non plus des extraits, comme on le faisait alors, chacun passant sa scène en cours devant le professeur d'interprétation.

Il fut arbitrairement décidé qu'un élève serait le metteur en scène.

Arbitrairement n'est pas tout à fait exact car l'élève désigné était fils de réalisateur. Aucune fille n'a été pressentie. Et la question du genre va se superposer à celle de la race.

Le metteur en scène propose donc une pièce où chacun est susceptible d'avoir un rôle, et son choix se porte sur *Ainsi va le monde*, de William Congreve, auteur anglais du xviiie siècle, qui s'inspire du *Misanthrope* de Molière. Mais là où Molière, ambigu, ne donne pas une fin de conte de fées aux amours d'Alceste et Célimène, Congreve est moins nuancé et plus conservateur.

L'histoire est celle de Millamant, qui comme son nom l'indique, est une jeune femme courtisée de tous, séduisante, pleine d'esprit et de Mirabell, qui comme son nom l'indique est un beau jeune homme (son nom signifie « d'une beauté extraordinaire »), épris de Millamant. Ils s'aiment et doivent convaincre la tante de Millamant pour pouvoir se marier. Que Mirabell ait par ailleurs laissé en plan une femme mariée dont il fut l'amant importe peu dans la résolution de la pièce en *happy end* pour les héros.

C'est une comédie de mœurs. D'autres personnages interviennent dont, en particulier, Marwood. Marwood aime Mirabell qui ne l'aime pas. Elle va s'acharner à faire échouer son mariage avec Millamant.

J'aurais voulu jouer Millamant, j'aurais voulu que sur scène, un Blanc et une Métisse s'aiment, car cela n'existait pas au théâtre. J'aurais voulu séduire. J'aurais voulu être rassurée.

La pièce *Ainsi va le monde* est écrite en 1699, jouée pour la première fois en 1700, c'est-à-dire en pleine période du commerce triangulaire. Les premiers arrivages d'esclaves dans les colonies anglaises datent de 1620. William Congreve est un homme de son temps. Il semblerait étrange qu'il n'ait pas connaissance de ses exportations de ce curieux bois, appelé « le bois d'ébène ». Y fait-il référence quand il nomme un personnage Marwood ? C'est ce que semble penser l'élève qui met en scène et qui m'a distribuée dans Marwood :

« Marwood signifie "bois gâché" », dit-il lors de la première lecture.

Mon cerveau explose. Je suis humiliée, mortifiée, crucifiée.

Je ne voulais pas de ce rôle qui m'excluait alors que je me battais pour être incluse, je ne voulais pas de ce rôle qui, soudain, me ramenait à mon enfance où l'on me traitait de « Négresse », « Blanche-Neige », « Chinoise », je ne voulais pas de ce rôle qui m'isolait et me faisait être détestée de tous.

Ce n'est pas la violence du rôle en soi qui pose problème – je suis entrée au Conservatoire avec Agrippine dans *Britannicus*. Parallèlement, j'ai joué Hélène de Troie, la belle Hélène, dans la pièce de Jean Giraudoux, *La Guerre de Troie n'aura pas lieu*. Personne ne m'a interdit de jouer Hélène, j'ai donc pu jouer Agrippine.

Aparté – Je me souviens que le directeur du Conservatoire aimait beaucoup Jean Giraudoux. Je me souviens du rire dans la salle, lors du concours, quand Hélène répondait à Hector qui lui reprochait d'aimer les hommes : « J'adore me frotter contre eux comme de grands savons. On en est toute pure. »

Plus tard, ce directeur, qui m'avait pourtant beaucoup aimé dans Hélène, m'expliquera que dans une « vraie »

4. Fais voir ce que ça fait sur elle les cheveux châtains

mise en scène, il ne me distribuerait pas dans ce rôle. Nous étions en 1986. Orson Welles l'avait pourtant fait, lui, en juin 1950 : il a donné le rôle d'Hélène à Eartha Kitt dans *Doctor Faustus* (de Christopher Marlowe), joué... à Paris au théâtre Édouard VII !

Combien de comédiennes métisses sont depuis montées sur la scène du théâtre Édouard VII ?

Marwood, donc, aime et n'est pas aimée en retour. Elle est d'une méchanceté redoutable que je n'arrivais pas à comprendre et est rejetée de la société.

Ne pas comprendre un personnage le rend très difficile à jouer. Une actrice a besoin de comprendre les motivations de son personnage pour le défendre. J'étais dans un état de déchirement qui plaisait au metteur en scène – à cela près que ce n'était pas le personnage, mais Yasmine qui souffrait.

Voilà ce qui se jouait sur scène, devant tous, et dont personne ne semblait voir la cruauté.

On m'accueille en regrettant que je ne sois pas plus noire ; je n'ai pas le droit de jouer Juliette dans *Roméo et Juliette* ; on m'explique que je ne vais pas travailler à la sortie de l'école parce que je suis noire ; les élèves spectateurs riront, quand, au cours de la représentation d'*Ainsi va le monde*, salle Jouvet, un personnage dit à Marwood : « Vous rougissez » !

Un jour, pendant l'essayage des costumes et des perruques, l'élève qui met en scène dit à un autre élève, sans même me regarder :

« Fais voir ce que ça fait sur elle les cheveux châtains. »

Châtains voulait dire raides. Mes cheveux naturels étant brun roux, la couleur n'avait pas grande importance.

Pas de : « Est-ce que tu peux essayer la perruque, s'il te plaît Yasmine ? »

Bien sûr, une comédienne peut changer de coupe de cheveux, de couleur et de texture de cheveux. En général, c'est en discussion avec le metteur en scène et le coiffeur. Ensemble, on réfléchit au personnage. Souvent, il est dit : « Qu'en penses-tu ? », ou : « J'aimerais bien… »

Là, j'étais un objet, une poupée qu'on pouvait déguiser en blanche et discuter entre mecs blancs sur « ce que ça fait sur elle, les cheveux châtains ».

Ce même élève qui met en scène me dit par ailleurs : « Tu représentes l'Afrique. » Il ne s'agit même plus de jouer. Je n'avais jamais été en Afrique, personne n'est africain dans ma famille. Et me voilà projetée hors de moi, hors de mon pays, hors de ma naissance. Ni noire, ni blanche. Néant. Afrique fantasme.

Je me sens si seule, si honnie. Et toute cette souffrance passe dans le personnage. On me trouvera magnifique, alors que je m'effondre.

J'étais une sorte de bête fabuleuse qu'on exhibait comme pour dire : « Regardez, moi j'en fais une actrice ! »

L'élève qui mettait en scène aimait me dire qu'il fallait que je sois « bestiale ». C'était un désir malsain, entêté, égocentrique, ethnocentrique.

Au risque de me répéter, sur cette pièce et plus largement dans ma promotion, les femmes étaient perçues comme des créatures, pas des créatrices.

Les hommes étaient en charge, qui de peindre les décors, qui de se procurer les costumes auprès de l'Opéra Garnier, qui de proposer sa sœur maquilleuse. Quand j'ai voulu aller en régie (l'endroit d'où l'on envoie le son et les lumières) pour apprendre comment cela fonctionnait, l'élève metteur en scène m'en a interdit l'accès. Cette pièce était censée être une œuvre collective.

Sois belle et tais-toi. La Noire devait être belle et se taire, l'élève blanc lui donnait un rôle qu'il estimait magnifique pour elle et elle n'était qu'une ingrate à vouloir avoir le droit de sourire. Il n'aimait pas qu'elle sourie ni qu'elle communique avec les autres élèves.

À la fin de la pièce, Marwood est chassée et le mariage a lieu. Tous étaient sur scène à chanter, sauf moi. Un élève, qui m'aimait bien, me demande alors, puisque je suis dans la salle, de battre la mesure. Il m'inclut. L'élève metteur en scène refuse.

Mar-wood, en réalité, ne veut pas dire « bois gâché », mais « Gâche-Bois ». *To mar* veut dire « gâcher ». La traduction exacte de « bois gâché » est *marred wood*.

Mar-wood serait celle qui gâche le bois. Que représente le bois ? La pièce a des allusions sexuelles très fortes. Mar-wood est celle qui fait débander.

L'élève qui met en scène est franco-anglais, il ne peut ignorer cette définition courante de *wood*, qui renvoie au phallus en érection. En temps normal, j'aurais relevé le contresens, mais mon cerveau est brouillé. Ce rôle est comme une camisole.

Qu'aurais-je ressenti si j'avais compris que j'étais une empêcheuse de bandaison ? J'aurais été blessée, sans doute, mais pas autant qu'en étant du bois d'ébène gâché. On me dira : « Ce n'est pas toi, c'est le personnage. » Comme si les choses étaient aussi simples. Il y a tellement de sentiments, de projections, de désirs dans une distribution de rôles. Il faut beaucoup de confiance, un entourage solide pour jouer un rôle de méchant. C'est très dur. Personne n'aime être détesté.

L'année suivante, je serai de nouveau distribuée dans ce même type de rôle, par le professeur qui voulait sa Marwood. Ce phénomène de répétition est courant, on vous voit dans un rôle, on vous veut dans le même. Le metteur en scène veut l'actrice d'un autre, comme un homme veut la femme d'un autre. Il voyait que j'allais mal, que ce rôle me faisait souffrir. Pourtant, au lieu de me distribuer dans un rôle différent, il me donnera par deux fois le même type de rôle et il aimera dire : « C'est une garce. »

Pendant deux ans, je serai celle que personne ne désire, celle que personne n'aime. Je serai seule à crever. Les rôles déteignent sur des jeunes gens. Il faut de l'expérience et de la stabilité pour ne pas se laisser emporter. Je finirai par manger toute seule, être au café toute seule, je ne parlerai plus. Personne ne comprendra et on m'en voudra. L'écart se creusera de plus en plus entre mes camarades et moi.

En sortant du Conservatoire, j'irai à l'hôpital. Je resterai une année ou presque sans oser sortir de chez moi.

On m'objectera : « Ils ne savaient pas. » Vraiment ? Je prétends moi, qu'au contraire, ils savaient, qu'au contraire, donner le rôle de celle que la société rejette et la rendre responsable de ce rejet est tout à fait cohérent avec les théories racistes des siècles passés.

Bien sûr, tous les élèves n'étaient pas ainsi, mais dans ces groupes, il y a ceux qui mènent, ceux qu'on écoute. Les intentions de ces derniers étaient ambivalentes, tout comme C…, avec des élans du cœur dont on se passerait volontiers.

4. Fais voir ce que ça fait sur elle les cheveux châtains

Bien sûr, tous les professeurs n'étaient pas ainsi. Mon professeur de première année, Pierre Vial, était de ces professeurs qui, au lieu d'enfermer l'élève dans sa souffrance, tentent résolument de l'en éloigner. Il disait : « Toi, il faut que tu te détendes, joue donc *Mais n'te promène donc pas toute nue !*[26] » Il voulait aussi que je joue Célimène[27], que je joue Juliette. C'était un merveilleux professeur que nous aimions tous, qui nous rassurait, nous faisait confiance, nous accompagnait.

L'atavisme joue son rôle. Ce personnage de métisse fourbe, cette femme hypocrite et vengeresse, cette personne perdante, forcément perdante, on la retrouve dans toute une littérature française des années esclavagistes, et au-delà. Elle perdure aussi dans des séries télévisées, comme en témoigne la saga de 2005, sur TF1, *Les Secrets du volcan*, où la Métisse aime qui ne l'aime pas et trahit par rancœur.

L'intrumentalisation de la couleur est intenable. Si Tarantino distribue Samuel L. Jackson dans un rôle de tueur dans *Pulp Fiction*, ce n'est pas parce qu'il se débarrasse du rôle du méchant sur un Noir. Les tueurs sont tout le sujet du film. À ses côtés, il distribue John Travolta.

Dans *Pulp Fiction*, Samuel L. Jackson est un tueur non pas parce qu'il est noir, mais parce que c'est son personnage. Tout simplement. Si dans une classe où il n'y a qu'une seule Métisse, on la distribue comme par hasard

---

26. Comédie en un acte de Georges Feydeau (1911).
27. *Le Misanthrope*, Molière.

dans le rôle de celle que personne n'aime, et qui plus est, on l'en rend responsable, c'est que cela conforte.

Le même Tarantino, donne à Kerry Washington dans *Django*, le rôle de la jeune première, même si elle est esclave, c'est elle l'héroïne, c'est elle l'objet d'amour. Ça change !

Quand Kenneth Branagh réalise *Beaucoup de bruit pour rien*, en 1993, il distribue Denzel Washington dans le rôle du prince. C'est Keanu Reeves qui joue son frère jaloux et méchant.

Et dans *Peter's Friends*, Kenneth Branagh distribue Alphonsia Emmanuel dans le rôle de Sarah, dont son personnage, Andrew, est amoureux depuis leurs années estudiantines.

Mais Kenneth Branagh, comme Quentin Tarentino, ont un autre regard.

5

J'ai pensé à Yasmine, c'est une version colorée, mais pas trop

Il existe au cinéma comme au théâtre, cette notion « d'emploi ». C'est-à-dire : la jeune première, le jeune premier, le comique, la tragédienne, la nounou, le copain gros… Ces emplois sont en eux-mêmes des carcans contre lesquels luttent les comédiens. Ce sont des costumes plus ou moins étroits qui ont évolué au fil du temps. Josiane Balasko, par exemple, a longtemps eu l'emploi de la bonne copine avant d'écrire ses propres premiers rôles où elle s'est offert d'être aimée par les beaux mecs. Ce rôle est d'ordinaire dévolu à la jeune première mince, blonde ou châtain, pas trop grande, blanche il va de soi, jolie sans être trop belle – les belles font peur –, *the girl next door*, « la fille d'à côté », comme les incarnait Meg Ryan et comme les incarne Anne Hathaway.

Pour les comédiens noirs, ou métis, l'emploi se réduisait à « noir ». Combien d'annonces de casting étaient rédigées de la sorte : « Un comédien 25/30 ans, blond, cheveux bouclés, dynamique et sensible, un comédien 25/30 ans, noir » ! Les acteurs et actrices françaises ont ferraillé dur chaque fois qu'un rôle de « noir(e) » leur était proposé. Les Métis étaient et sont encore invisibles ; le personnage noir n'était qu'une caricature, un Noir qui généralement ne parlait pas bien français, ou qui, comme dans la série télévisée *Le grand Patron* (2000-2007), était en admiration devant le supérieur blanc.

Je me souviens d'un court extrait où la comédienne disait : « Oui, patron ! » Quand j'étais étudiante, j'ai travaillé dans les hôpitaux. Jamais je n'ai entendu une infirmière dire « Oui, patron », et, bien souvent, c'est l'infirmière qui donnait le contexte au médecin. Dans les mêmes années (1994-2009), est diffusée la série télévisée américaine *Urgences* (*Emergency Room*) dont l'infirmière principale est Carol Hathaway (rôle interprété par Julianna Margulies). L'une a de l'autonomie, l'autre pas.

Quant au personnage du regretté Mouss Diouf, le sympathique N'Gouma, dans *Julie Lescaut* (1992-2005 en ce qui le concerne), est toujours en admiration devant Julie qui détient le savoir. Ce n'est pas crédible. Il est le stéréotype du second qui dit toujours oui. Là encore, comparez avec toutes les séries policières américaines où les conflits existent en interne, les séries anglaises comme *The Line of Duty* (2012) avec Lennie James ou *The Shadow Line* (2011) avec Chiwetel Ejiofor.

L'image d'un homme noir ou d'une femme noire a longtemps été une image de subalterne. C'est un être souvent drogué, délinquant, violent ou miséreux. Je me souviens par exemple du film de Bertrand Tavernier, *L627* (1992) : la police est blanche et les personnages noirs sont immigrés, sans-papiers, misérables ou délinquants. Ils vivent dans un squat, comme dans le succès de Michel Blanc, *Marche à l'ombre* (1984). Qui se souvient d'ailleurs du nom des acteurs africains ? C'est un film qui m'a fait rire mais où je m'identifie à Sophie Duez (laquelle, a, d'ailleurs, dans la vraie vie, des enfants avec Manu Katché, lui-même métis).

Bref, l'acteur noir, métis ou l'actrice noire, métisse ont eu très souvent un rôle de faire-valoir.

Entre 1984, date de *Marche à l'ombre* et 2005, rien n'a changé.

« Un rôle important », m'avait dit le directeur de casting. Quelques années plus tard, je tombe, un jour d'ennui, sur une rediffusion du téléfilm[28] avec Michèle Bernier, l'éternelle fille sympa, et Arielle Dombasle, la fofolle snob au grand cœur. Il y a une femme, noire, sans-papiers, évidemment avec une marmaille, qui doit être soignée par le bon docteur blanc, baroudeur pour Médecins du monde ! Et soudain, je réalise qu'il s'agit de ce rôle pour lequel j'avais auditionné en 2005. Arielle Dombasle tient une galerie d'art ; Michèle Bernier (Juliette) conduit un camion et s'occupe des pauvres – je parlais d'emploi plus haut. Patrick Catalifo est le médecin généreux aux grands yeux bleus que les amies d'enfance se disputent. Miraculeusement, Arielle Dombasle (Charlotte) qui fréquente le gratin de ce monde, va d'un coup de fil obtenir que cette *pauv' négwesse* de Douba ait des papiers ! Mais pour ce faire, il faut une garantie d'emploi.

---

28. *L'Homme de ta vie* (2006).

5. J'ai pensé à Yasmine, c'est une version colorée, mais pas trop

La généreuse Charlotte n'écoutant que son grand cœur embauche dans sa galerie d'art notre sans-papiers.

Nous croyons alors que Douba-la-sans-papiers va devenir assistante de Charlotte. Et voilà qu'au plan suivant, nous découvrons notre *pauv' négwesse* heureuse d'avoir enfin un emploi… – je vous le donne en mille – de femme de ménage dans la jolie galerie !

C'était donc cela un rôle important ? Inutile de préciser que le rôle est tout petit. Qui a retenu le joli nom de Cyliane Guy ? Ce qu'elle fait est difficile et elle le fait très bien. Mais on s'en moque.

Ce genre de rôle, ou ses variantes, on me l'a proposé plusieurs fois depuis ma sortie du Conservatoire. Toujours le rôle de la femme de ménage, pour lequel je ne conviens finalement jamais, car les mulâtresses, on le sait, « peuvent avoir de la grâce ».

Je peux aussi raconter l'arrivée de la costumière chez moi pour le tournage de *La Crèche* où je joue une puéricultrice antillaise. En me voyant, celle-ci s'exclame que je fais américaine, pas antillaise. Américaine, c'est mieux. Nous sommes en l'an 2000. Christiane Taubira n'est pas encore ministre de la Justice. L'imaginaire de la costumière, au demeurant sympathique, est fort de préjugés sur les Antillais. Le mien aussi. J'ai reçu la même image des Antillais, une image avec accent, une image de dame patronnesse, une image de petites gens, colorés et invisibles tout à la fois, qui boivent du rhum et mangent des accras, bigots, une image peu glamour. Sauf mon père, puisque c'est mon père. Mais il n'est pas pour rien dans cette transmission. Cela pourrait n'être que le regard de Paris sur la province, or c'est davantage.

C'est Pierre Richard qui s'exclamera sur le tournage de *Platane* en 2010 : « Sortir du Conservatoire pour jouer une femme de ménage ! C'était bien la peine ! », quand je lui racontai que j'avais passé le casting d'un rôle de femme de ménage donc, pour ce film où il jouait avec Emmanuelle Béart, *À gauche en sortant de l'ascenseur*.

Comme dans ces tableaux des siècles précédents, les Noirs sont là pour rehausser la blancheur, au propre comme au figuré, de l'héroïne blanche ou du héros blanc. L'un, peint sur fond sombre, paraît ainsi terne et l'autre devient d'autant plus lumineux que l'arrière-plan est sombre. Dans ces tableaux, le modèle noir est généralement assimilé à un serviteur ou une servante, du moins c'est ce que les musées écrivent en titre. Mais en réalité, ce n'est pas toujours vrai.

Pierre Richard a lui-même des petites-filles… métisses ! Mais étrangement, au cinéma, il n'aura jamais de petites-filles métisses, elles seront blanches, et les petites-filles métisses, qu'il a dans la réalité, disparaissent à l'écran ! Quand je dis que nous sommes partout…

Souvent, j'ai revendiqué le Conservatoire. Ça ne suffit pas. Rien ne suffit. Il faut Christiane Taubira, il faut Audrey Pulvar, il faut que les femmes noires mais aussi métisses soient visibles partout ailleurs – et pas que dans les élections de Miss France –, pour que les comédiennes métisses aient des rôles.

L'imaginaire de la production écrite par des Blancs était, est toujours, saturé de clichés. Il nous faut des Shonda Rhimes[29], c'est-à-dire des scénaristes, des

---

29. Productrice, réalisatrice et scénariste américaine, créatrice de *Grey's Anatomy, Scandal, How to Get Away With Murder*.

5. J'ai pensé à Yasmine, c'est une version colorée, mais pas trop

auteures, des productrices qui donnent des rôles à des comédiennes métisses, noires, et pas à une seule par film comme c'est le cas dans les productions françaises.

Et qu'on ne dise pas que cela ne marche pas, ou qu'il faille l'excuse d'une comédie : en 2013 aux États-Unis, la série *Scandal*, avec Kerry Washington, faisait plus d'audience que *Game of Thrones* ou *Mad Men*, et autant que *Les Experts* (CSI : *Crime Scene Investigation*)[30].

Non seulement la série marche, mais fait des petits. Devant le succès de *Scandal*, les productions américaines ont distribué plus de comédiennes et comédiens dits « de la diversité » dans les premiers rôles. En réalité, une série où il y a une distribution mélangée permet de gagner une plus grande part de marché[31].

Aparté – cela ne m'amuse plus du tout de voir des films et des séries où je ne suis pas représentée. Je ne donne plus mon argent à un système qui m'exclue.

Au passage, je tire mon chapeau – ah ah ah ! – à Geneviève de Fontenay qui semble ne pas avoir eu trop de problème avec la couleur, même si le marron foncé et les yeux bridés sont absents de ce concours Miss France que de toute façon je n'aime pas. Mais c'est un autre sujet.

Cela me rappelle une anecdote. Après l'élection d'une Miss France martiniquaise, j'étais au téléphone avec une camarade comédienne. Pour je ne sais quelle raison, nous parlons de cette élection. Je dis que l'élue est

---

30. 8,3 millions de téléspectateurs pour *Scandal*, 4,4 pour *Game of Thrones*, 3,4 pour *Mad Men*.

31. http://www.npr.org/blogs/codeswitch/2014/02/12/275907930/ redefining-hollywood-diversity-makes-more-money

martiniquaise et ma camarade, blanche, de s'exclamer :
« Encore ! Mais c'est toujours elles ! »

Elle me dit cela à moi ! Hop ! Me voilà à nouveau blanche. C'est d'autant plus drôle qu'elle a des enfants métissés, certes blancs, mais tout de même métissés, dont le père est d'origine caribéenne hispanique.

Il a fallu les émeutes de banlieue de 2005 et des personnes de bonne volonté, car il y en a, comme Marcel Bozonnet, directeur du Conservatoire après mon passage, puis directeur de la Comédie-Française, pour permettre aux actrices métisses Sara Martins et Léonie Simaga d'avoir des rôles qui ne soient pas des rebuts et à Léonie Simaga d'être sociétaire de la Comédie-Française.

Le premier acteur métis à la Comédie-Française fut Georges Aminel. Entré en 1967, il démissionne en 1972 :

« Je suis trop blanc, trop noir, le cheveu trop crépu ou pas assez. [...] C'est bien simple, j'ai passé mon temps à me barbouiller et à prendre un accent. Les faits sont là : j'ai débuté dans un rôle de Polynésien muet et depuis je ne compte pas les personnages de chamelier juif, brésilien ou arabe que j'ai endossés. Alors, si parce que mon père est antillais, je dois toute ma vie incarner des Sud-Américains explosifs ou des indigènes fanatiques, je préfère arrêter. »

Un vieux comédien de la Comédie-Française, qui m'avait vue passer mon concours d'entrée au Conservatoire et qui m'avait trouvée très bien, me dira à propos de Georges Aminel : « Il ne s'est pas bien adapté. »

Qui ne s'est pas adapté à qui, au juste ?

---

5. J'ai pensé à Yasmine, c'est une version colorée, mais pas trop

Entre 1972, le départ de Georges Aminel, et 2005, l'entrée de Léonie Simaga, il n'y a eu aucun Métis à la Comédie-Française. Je me souviens d'avoir écrit une lettre à Antoine Vitez à ma sortie du Conservatoire pour lui dire mon désir d'entrer dans la troupe, profitant qu'il montait *La Tragédie du roi Christophe* d'Aimé Césaire. Sa réponse ne laissa pas de m'étonner : il ne croyait pas aux quotas. Je ne lui parlais pas de quotas, auxquels moi-même à l'époque je ne croyais pas. J'ai changé d'avis depuis.

Mon directeur du Conservatoire, Jean-Pierre Miquel, disait : « Les Noirs, c'est compliqué » et : « Il faut un parti pris de mise scène pour justifier leur présence. » Quand je lui ai fait remarquer que les roux ne jouaient pas toujours Poil de carotte, il a répondu : « Oui, mais un roux peut se faire teindre ! »

Avec les autres membres du jury, il nous avait pourtant choisi, Xavier Thiam et moi, deux Métis. Mais quand il sera à la Comédie-Française, il n'engagera pas de comédiens noirs ou métis. Il me redira que c'est compliqué.

Il est évident que la direction d'un établissement prend la couleur – si j'ose dire – de celui qui le dirige. Aujourd'hui, on peut trouver un comédien noir – plus souvent qu'une comédienne – dans des distributions blanches, comme une caution, car il sera généralement seul et le plus souvent d'un noir qui ne peut pas se confondre, pour être visible. Dans les films, au cinéma ou à la télévision, c'était *no colored's land*. Et je ne parle pas des débuts du cinéma et de la télévision ! Je parle des années 1990 et 2000.

Je me souviens de Forest Whitaker que j'avais rencontré en 1994 grâce à une amie quand je faisais tous les castings de mannequins – et me faisait recaler – afin de rencontrer Robert Altman venu tourner *Prêt-à-porter*. Forest Whitaker avait regardé la télévision française et m'avait dit : « Tu ne dois pas beaucoup travailler, je n'ai vu que des Blancs à la télévision. »

Je me souviens de mon sentiment de honte et de culpabilité, la honte de ne pas travailler, de ne pas être assez forte pour changer le système, la culpabilité que ce soit un Américain qui me dise cela, à moi, une Française, alors que l'Amérique est censée être plus raciste que la France.

À la télévision, en 1997, il fallait presque s'excuser pour justifier de m'avoir choisie pour une série télé populaire. La directrice de casting, qui m'aimait bien – c'est important –, a pris ce qu'elle pensait être un risque en me présentant pour jouer la femme d'un Blanc : « J'ai pensé à Yasmine, c'est une version colorée, mais enfin pas trop ! »

Ce « pas trop » montre bien que le métissage se voit quand il semble important de le mettre en évidence. Je me suis tue. Je voulais le rôle. Je l'ai eu.

Vous êtes malheureuse. Le costume qu'on veut vous faire enfiler est trop petit et ressemble à une camisole. Plus le temps passe, moins vous allez bien. Vous voyez vos camarades blancs jouer, grandir sans vous. Vous ne pouvez pas aller bien dans un tel contexte et comme vous n'allez pas bien, vous vous isolez. Et c'est un métier où il ne faut pas être isolée. Mais si vous n'êtes pas isolée, vous êtes crucifiée. C'est infernal.

5. J'ai pensé à Yasmine, c'est une version colorée, mais pas trop

L'influence de la télévision est telle que même pour un petit rôle les gens vous reconnaissent. Ils sont souriants. La couleur ne les dérange pas, ils ne vous en parlent pas. Ils vous demandent si telle actrice est sympa. S'ils vous ont vue au théâtre, ils vous disent qu'ils vous ont aimée. Ils vous écrivent même. Le public ne m'a jamais agressée, ni reproché de ne pas être blanche. Pourtant, les « décideurs », comme on les appelle, ont vite fait de rejeter la faute sur lui. Le public ne serait « pas prêt(e) ».

En 2010, j'ai participé à un colloque organisé par la mairie de Paris, « Décoloniser les imaginaires ». Même si les temps changent, les témoignages étaient édifiants.

Le témoignage d'une actrice d'origine maghrébine qui criait sa colère contre le racisme qu'elle subissait dans son métier était impressionnant. Face à elle, une comédienne métisse exigeait des comédiens noirs qu'ils soient exemplaires, leur reprochant de pas connaître leurs textes sur les tournages.

Cela me rappelle un autre débat au cours duquel une animatrice métisse invitée reprochait aux journalistes et animateurs noirs d'être en retard.

Robert Redford est toujours en retard, ai-je lu, cela a-t-il nui à sa carrière ? Des comédiens qui ne savent pas leurs textes, il y en a plein. Le réalisateur Michel Deville s'en plaignait quand je tournais sur *Toutes peines confondues*. Cela reste un mystère pour moi qu'un comédien ne sache pas son texte au moment de tourner, mais le fait est que cela existe et les réalisateurs le savent. Cela ne les empêche pas de travailler. En réalité, très peu de choses empêchent un comédien blanc de travailler quand celui-ci est aimé des productions, des réalisateurs et metteurs en scène. Il peut arriver si saoul qu'il faille baisser le rideau de fer et arrêter le spectacle, il peut être odieux, il peut ne pas connaître son texte, il peut, lors d'un champ/contrechamp, s'en aller sans donner la réplique à son partenaire pour le contrechamp... J'ai vécu ces situations.

Au nom de quoi les Noirs ou les Métis doivent-ils être plus irréprochables que les Blancs ?

Je viens de lire un article dans *The Guardian* à propos de Bill Cosby[32]. La journaliste blanche Deborah Orr analyse sa propre réaction à l'annonce des accusations de viol contre Bill Cosby. Elle reconnaît que les célébrités noires sont dans l'obligation d'être exemplaires et considère cette obligation comme raciste.

On peut se demander pourquoi deux femmes métisses, comme la comédienne de doublage et l'animatrice télé qui, dans leurs métiers respectifs, ont une certaine visibilité, ont intériorisé de telles exigences. De la même manière, lors d'un discours devant la NAACP (National Association for the Advancement of Colored People) en 2006[33], Bill Cosby fustigeait les Noirs, les accusant d'être faibles, de se plaindre sans retrousser leurs manches, il en rendait responsables les familles monoparentales, et pas le système qui envoie plus d'hommes noirs et métis en prison que de Blancs pour les mêmes délits, les mêmes crimes...

Cela ressemble à de la haine de soi. Cela me fait penser à Roy Cohn, ce juge américain joué par Al Pacino dans la série *Angels in America*, qui a pourchassé les homosexuels pendant le maccarthysme tout en étant lui-même homosexuel. On ne devient pas hétérosexuel

---

32. http://www.theguardian.com/commentisfree/2014/dec/05/bill-cosby-made-me-confront-my-do-gooder-racism

33. http://en.wikipedia.org/wiki/Pound_Cake_speech

5. J'ai pensé à Yasmine, c'est une version colorée, mais pas trop

en rejetant les homosexuels, pas plus qu'on devient blanc en dénigrant les Noirs.

Que ce soit la comédienne, l'animatrice de télévision ou Bill Cosby, ces personnes sont reconnues dans leur domaine. C'est une position parfois agréable d'être la seule dans son domaine, on fait attention à vous, vous êtes la caution non raciste d'un système qui l'est, vous vous sentez meilleure que les autres, et vous fermez la porte derrière vous.

Ces discours sont pervers. Ce même discours tient pour les femmes, avec la même propension à l'autoflagellation. Certaines femmes ont intériorisé la misogynie. Je me rappelle d'une camarade à propos des quotas féminins en politique : « Mais on va mettre des femmes incompétentes ! » Comme si tous les hommes en place étaient compétents.

Ma camarade ajoutait :

« Les femmes sont des pisseuses parfois ! »

De la même manière, la comédienne affirmait que « les Noirs sont de mauvais comédiens » et l'animatrice leur reprochait de ne pas « se remettre en question », ce qui m'a mise très en colère. La remise en question est constante quand vous êtes en échec.

6

TU NE PEUX PAS ÊTRE ACTRICE, IL N'Y A PAS D'ACTRICE NOIRE

Je me souviens de Régis D., en CM1, qui m'expliquait que je ne pouvais pas être actrice. « Chanteuse oui. Parce que des chanteuses noires, il y en a, mais des actrices noires, il n'y en a pas. » Je me souviens encore de ce serrement dans ma poitrine. J'ai haï ce petit garçon de 11 ans qui décidait de ma couleur, de mon avenir avec ce ton péremptoire. Il en faut de la force, et du rêve, pour passer outre toutes ces fées Carabosse.

All of the buildings, all of those cars
Were once just a dream
In somebody's head[34] [...]

Il n'y avait pas d'actrices noires ? Les Métisses étaient invisibles ? Pourtant, la dame blanche qui me gardait

---

34. « Tous ces bâtiments, toutes ces voitures, n'étaient d'abord qu'un rêve dans la tête de quelqu'un », Peter Gabriel, *Mercy Street.*

adorait Joséphine Baker. Mais, Joséphine était avant tout une *show girl*.

J'adorais le cinéma, j'enregistrais très religieusement les films du *Ciné-Club* et du *Cinéma de minuit*.

Je me souviens de cette belle jeune femme qui joue du piano dans une boîte de jazz (bien sûr) et couche avec Delon dans *Le Samouraï*. Cathy Rosier, me dit le site Internet IMDb[35]. Personne n'a retenu son nom. Le film de Jean-Pierre Melville date de 1967.

Je me souviens du petit garçon que Jouvet a adopté, « ramené des colonies » dit-il, dans *Quai des orfèvres*, et qui s'endort dans le commissariat comme je m'endormais dans les réunions politiques de mon père. Impossible de trouver son nom sur Internet ! Le film d'Henri-Georges Clouzot date de 1947.

Voilà les souvenirs que j'ai, d'acteurs ou actrices métis quand j'étais enfant. Et si je voyais que Cathy Rosier était métissée, je ne la considérais pas vraiment comme une actrice, elle faisait partie du décor exactement comme plus tard, en 1992, un critique de *Télérama* parlera de moi, dans le film *Toutes peines confondues* de Michel Deville : « Une pauvre fille », sans prénom, sans nom. Mon regard était blanc. Je regardais les Noirs comme les Blancs les regardaient. Je projetais sur eux ce que la société blanche projetait sur eux. Seuls les Blancs avaient des rôles, seule leur histoire importait. J'étais blanche, je le suis toujours d'ailleurs, mais je me soigne. Mon regard a changé. Il n'a pas changé tout seul.

---

35. http://www.imdb.com/name/nm0742975/

De la même façon, je pense au film *Ridicule*, de Patrice Leconte, sorti en 1996, dans lequel un Indien est montré à la cour de Louis XVI. Je me demande si quelqu'un se souvient du nom de la personne qui incarne cet Indien ? Des Indiens, des Africains étaient effectivement importés, exhibés, montrés comme on les montrera dans les zoos humains au xxe siècle. Le film a eu un grand succès, il montrait la vanité, la vulgarité de cette cour. Mais les acteurs blancs, de Bernard Giraudeau à Fanny Ardant, tout aussi vains et vulgaires que soient leurs personnages, sont mis en valeur par le scénario et la caméra. Le personnage de l'Indien est traité comme quantité négligeable par les scénaristes et le réalisateur, de la même manière qu'il le fut à la cour du Roi-Soleil. Cela pose la question du regard de celui qui montre. Comment montre-t-il et dans quel but ? L'Indien reste anecdotique, exotique et vite oublié. Le spectateur est rendu complice, il regarde avec la cour, à peine voit-il que ce n'est pas tout à fait normal. Le réalisateur et le scénariste ont de l'indulgence pour la cour et ce siècle d'esclavage.

La même année sortait le film de Bernard Giraudeau, *Les Caprices d'un fleuve*, qui se déroule au Sénégal à la même époque que *Ridicule.* Ce film pouvait montrer ce qui se passait en Afrique au nom de la France, pendant que ces courtisans cyniques jouaient à leurs jeux d'esprit meurtriers. Sauf que le film, décrit comme un film sur la Révolution et les Lumières, n'est pas plus honnête que *Ridicule* sur l'Autre et la remise en question de soi. Le seul Noir qui ne soit pas esclave ne prononce pas une parole pendant tout le film ! Évidemment, personne ne s'en souvient.

6. Tu ne peux pas être actrice, il n'y a pas d'actrice noire

La seule femme libre et financièrement indépendante est un rôle de signare, c'est-à-dire une Métisse. Les signares étaient des descendantes des colons Portugais et de leurs épouses ou maîtresses wolofs ou peules, au Sénégal. Bernard Giraudeau en fait une courtisane lascive, objet sexuel – éternelle vision coloniale de la femme métisse – à laquelle il préférera une jeune fille noire qui mourra en couches, car il faut bien un jugement moral.

« Les jeunes filles noires ne sont pas comme les jeunes filles blanches, elles mûrissent plus vite », ce n'était pas la même chose qu'en Occident si on les mariait jeunes, disait un médecin dans une émission télévisée des années 1990, sans que personne n'en soit choqué.

En résumé, le Noir libre est muet, la femme indépendante et métisse est une concubine, et la jeune fille noire est à déflorer. Les images de l'homme noir, de la femme métisse, de la jeune fille noire, de l'Indien, dans ces deux films tout à fait superposables, répètent à l'envi, comme dans une galerie des glaces, la perception des siècles précédents.

Je me souviens que Bernard Giraudeau évoquait une comparaison avec Robert Redford, sur le fait d'être acteur-réalisateur – et beau. Mais quand Robert Redford réalise, quatre ans plus tard, *La Légende de Bagger Vance*, il donne le premier rôle à Will Smith !

L'absence de transmission est flagrante.

J'ai fait une des plus grandes écoles de théâtre en France. Pendant trois ans j'ai étudié beaucoup de textes de grands auteurs, mais jamais une pièce d'Aimé Césaire. Cela ne nous aurait pas fait de mal à mes camarades et moi de travailler *La Tragédie du roi*

Christophe ou *Une tempête*. Je n'ai jamais étudié Césaire au lycée non plus, ni aucun poète de la négritude. Au Conservatoire, l'ignorance battait son plein (la mienne aussi) et pas seulement dans ma promotion. Ainsi, dans la promotion précédente, on fera chanter le blues à un élève métis. Métis, donc Noir, Noir donc Américain. Ce garçon est pourtant français, il est au Conservatoire, à Paris, il sort de math sup et on lui fait chanter un vague air bluesy pour la décoration – sans aucun rapport, d'ailleurs, avec la scène ! À lui aussi, on dira qu'il est « susceptible », « parano ».

Pour le film de Chabrol, *Rien ne va plus*, je pouvais être envisagée pour jouer une hôtesse de l'air, limite silhouette (une silhouette est une figuration dite « intelligente », c'est-à-dire que vous avez le droit à l'aumône d'une phrase) parce que l'avion dans lequel étaient Isabelle Huppert et Michel Serrault allait… en Guadeloupe ! S'il allait au Canada, c'était râpé pour la proposition de rôle !

Il y a une dizaine d'années, une directrice de casting se demandait « comment nous pouvions supporter d'avoir toujours les mauvais rôles ». Elle trouvait cela dur. Elle me présentait pour un tout petit rôle d'infirmière. Elle avait pourtant distribué une comédienne argentine dans un rôle plus intéressant de gynécologue. Je pose la question : combien y a-t-il de gynécologues argentins en France ? Dans la vraie vie, ce doit être très difficile d'exercer la gynécologie en France quand on est argentin, car il y a le système des équivalences.

Mais dans l'imaginaire, les Noires, les Métisses, sont, au mieux, infirmières ; les Blancs occupent des postes

6. Tu ne peux pas être actrice, il n'y a pas d'actrice noire

supérieurs. En somme, mon père est ingénieur, s'il avait été acteur jusqu'à très récemment, il aurait été balayeur ou videur. Entendons-nous bien : je n'ai rien contre le fait d'être balayeur ou infirmière, j'essaie simplement de dire qu'avec le statut, le rôle prend de l'ampleur, et que si l'histoire tourne autour d'une infirmière ou d'un balayeur, alors soudain, l'actrice, l'acteur seront blancs.

Tant pis si les enfants métis de Kofi Yamgnane, qui fut maire de la commune bretonne de Saint-Coulizt, conseiller général, député et ministre, lui-même ingénieur, sont en réalité, gynécologue, chef du service maternité à l'hôpital américain de Paris, pour la fille, et ingénieur, directeur général adjoint d'une école informatique pour le fils. L'image des Noirs et des Métis est celle d'êtres inférieurs aux Blancs en dépit de la réalité.

La comédienne suisse Anne Richard, me dit un jour, en riant, à propos de la série *Boulevard du palais* (depuis 1999) : « On est deux Suisses à représenter la police française. » Je lui dis : « Tu te rends compte qu'il n'y a pas de série avec deux comédiens français de ma couleur ?[36] »

Mes amies étrangères veulent me convaincre que nous sommes, elles et moi, dans la même situation, c'est-à-dire qu'être blanche allemande ou américaine serait comme être métisse française. Sans doute le font-elles par désir de fusion. Mais ce n'est pas exact et cela me donne le sentiment d'être soluble dans la diversité.

En réalité, elles ont eu droit à des grands rôles en France quand aucune Métisse française n'y avait droit.

---

36. Il y a eu depuis *Les Tricheurs* (2006) sur France 3 avec Pascal Légitimus, Sara Martins et Leïla Bekhti.

Quel dommage que tu ne sois pas plus noire

Et si j'entends correctement ce qu'elles disent, alors cela signifie qu'être métisse, c'est ne pas être française. Être métisse, c'est toujours être perçue à travers le prisme de la couleur. La couleur est une nationalité de seconde zone, avec en plus le fait d'être insatisfaisante en tant que Noire, pas assez authentique. En réalité, dans le métier de comédien en France, mieux vaut être anglais, allemand, hollandais, espagnol, italien, belge... et blanc, que français et métis.

Y a-t-il tant de Suisses dans la police française ? Si Romy Schneider pouvait être l'actrice préférée des Français, et ce, malgré trois guerres, pourquoi n'y a-t-il pas eu, aux mêmes époques, une actrice métisse ou noire, un acteur métis ou noir, de la même envergure ? Comme tout le monde, j'adore Romy Schneider. Si une Métisse française peut s'identifier à une actrice allemande blanche, je pense qu'une spectatrice blanche peut s'identifier à une actrice métisse ou noire. Ce que prouve le succès des films américains en France avec des acteurs comme Forest Whitaker, Samuel L. Jackson, Denzel Washington, Whoopi Goldberg, Halle Berry, Kerry Washington, etc.

En Angleterre, c'est plus facile d'être anglais avant tout, noir ou blanc. Il y a très peu d'accents dans les films anglais qui ne soient pas des accents anglais. En France, il y a très peu d'accents français et quelques accents européens. Pendant longtemps, à part chez Pagnol, l'accent du Sud était rédhibitoire. En témoigne l'entrée de Pagnol au répertoire de la Comédie-Française en 2008 : la pièce était jouée sans accent. Ailleurs, c'eût été matière pour les acteurs, comme pour Meryl Streep en Danoise dans *Out of Africa* ou en Polonaise dans *Le Choix de Sophie*, mais en France, où les langues régionales ont été éradiquées, l'accent reste une tache sur l'universalité. Chateaubriand le dénonce déjà dans les *Mémoires d'outre-tombe*. Le problème d'une telle politique, c'est que tout ce qui porte un accent est méprisé, et quand ce qui porte un accent est d'une autre couleur de peau, cela devient un prétexte supplémentaire. Ainsi, un ami métis originaire de La Réunion m'expliquait il y a peu qu'il avait travaillé pour perdre son accent. —

Je ne crois pas que ce soit faire preuve de plus d'ouverture que d'accueillir les accents étrangers à condition qu'ils soient blancs, et de ne pas vouloir d'accents français noirs ou métis. Je ne sais pas si les Anglais sont moins ouverts en privilégiant les acteurs de langue maternelle anglaise et les accents anglophones, quelle que soit leur couleur.

Aujourd'hui, Firmine Richard peut avoir un accent antillais, mais elle est l'exception qui confirme la règle. Elle est rassurante Firmine, généralement distribuée dans des rôles de femme de chambre et de femme de ménage ou d'infirmière déférente. Elle n'a pas eu, semble-t-il, le désir d'être comédienne, n'a pas fait d'école de théâtre. Hattie McDaniel, la nounou d'*Autant en emporte le vent*, le faisait remarquer en son temps : elle gagnait beaucoup mieux sa vie à être femme de ménage dans un film qu'en vrai !

Par contre, pourquoi Coline Serreau trouve-t-elle sa comédienne dans un restaurant et pas chez un agent ? De même, pourquoi Abdelatif Kechiche trouve-t-il sa Vénus noire dans la rue ?

À propos, qu'est donc devenue cette jeune femme métisse qui a dû jouer un rôle aussi terrifiant pour lequel aux États-Unis elle aurait sans doute eu une récompense ?

Coline Serreau ira pourtant chercher Rachida Brakni au Conservatoire treize ans plus tard pour son film *Chaos*.

Puisqu'il n'y a pas d'acteur ou d'actrice métis quand il s'agit de rôles importants, on va les chercher n'importe où : dans le sport, dans le rap, dans la rue, mais peu dans les écoles de théâtre et les agences artistiques, là où se trouvent, en théorie, les comédiens.

Régulièrement, quelqu'un m'appelait pour savoir si je ne connaissais pas un garçon ou une jeune fille noir « de ma communauté » ! De quelle communauté ? Celle des Noirs, celle des Blancs, celle des Métis ?

Depuis la Nouvelle Vague, c'est une chose fréquente, en France, quelle que soit la couleur de peau, de faire ce qu'on appelle un « casting sauvage », c'est-à-dire préférer une personne recrutée dans la rue, dans un restaurant, etc, à celle dont c'est le métier, qui s'est donné de la peine pour cela. C'est aussi un signe du star-system, de prendre un nom, comme on dit, d'où qu'il soit, plutôt qu'un professionnel, mais proportionnellement, quand il s'agit de Noirs et de Métis, c'est en nombre nettement supérieur à celui des Blancs.

Il y a une défiance envers les comédiens et comédiennes noir(e)s et métis-ses qui renvoie à ces époques coloniales où le Noir était dit paresseux et ne sachant rien faire. Un de mes professeurs qui allait prêcher la bonne parole du théâtre en Afrique m'avait d'ailleurs dit « Ils ont des problèmes là-bas », comprendre, « des problèmes de jeu, il faut leur apprendre, ils ne sont pas à la hauteur ».

Ces paroles seraient impossibles à dire sous peine de sanction aux États-Unis ou en Angleterre. En France, quel est le comédien noir ou métis qui ne les a pas entendues, prononcées sur tous les tons, méprisant, étonné, désolé – même inconsciemment ?

Ainsi le rappeur métis Disiz la Peste jouera-t-il en 2006 dans une adaptation d'Agatha Christie, *Petits meurtres en famille* sur France 2, aux côtés de comédiens blancs qui, eux, n'ont pas eu besoin de faire du rap pour être acteurs et actrices. Les comédiens Elsa Zilberstein, Bruno Todeschini ou Antoine Duléry semblent donc légitimes dans la distribution, mais un comédien métis ne l'est pas. Il s'agit d'une adaptation du *Noël d'Hercule Poirot* qui se déroule, comme souvent chez Agatha Christie en vase clos, ici dans une famille. Agatha Christie a écrit plusieurs personnages qui ne sont pas blancs, l'adaptation française ne trahit pas la créatrice de Poirot et de Miss Marple. Le choix de Disiz la Peste, musicien avant tout, montre bien la défiance à l'égard des comédiens métis.

À peu près à la même époque, en 2007, la BBC diffuse *Ordeal by Innocence* (*Témoin indésirable*), un Miss Marple qui se déroule également dans une famille. Il s'agit d'enfants adoptés dont la mère adoptive a été assassinée. Parmi ses enfants, il y a une jeune fille métisse, Tina. C'est Agatha Christie qui l'écrit, ce n'est pas une modernisation du scénario. Je me souviens d'avoir lu le livre, adolescente, et la présence de ce personnage me ravissait. Je m'identifiais bien sûr. Je me souviens qu'Agatha Christie comparait la jeune fille à un petit chat. Ce personnage en 2007 est joué par Gugu Mbatha-Raw, une jeune fille métisse qui sort de la RADA, la Royal Academy of Dramatic Art, une des plus grandes écoles de théâtre d'Angleterre. Elle n'a pas eu à être déjà reconnue dans le spectacle pour être choisie. Le fait qu'elle sorte de la RADA la légitimait au même titre que ses camarades blancs, contrairement à ce qui se passe dans la production télévisuelle française où l'on suppose le public idiot et peu disposé à voir des non Blancs.

Je pourrais multiplier les exemples qui montrent que les comédiens blancs ont plus d'opportunités à la fois de travail et d'évolution que les comédiens métis à qui on demande une notoriété en dot, tout en leur refusant les moyens de l'acquérir.

En Angleterre, les acteurs noirs comme Idriss Elba (*Mandela : Long Walk to Freedom*, ou la série TV *Luther*), Chiwetel Ejiofor (*12 Years a Slave*), ou les actrices métisses Sophie Okonedo, Thandie Newton, Nina Sosanya sortent tous des grandes écoles artistiques[37] et n'ont pas eu à être joueur de foot ou de cricket, mannequin ou Miss Angleterre pour pouvoir avoir des rôles à la télévision, au cinéma et au théâtre. Tous ces acteurs et actrices jouent, tournent régulièrement.

Dès le XIXᵉ siècle, le comédien américain Ira Aldridge était un comédien noir célèbre en Angleterre et n'était pas condamné aux rôles de nègre. On voit que le retard de la France ne date pas d'aujourd'hui. Pourtant, les

---

37. Idriss Elba et Chiwetel Ejiofor ont été formés au National Youth Music Theatre, David Harewood, Adrian Lester et Sophie Okonedo sortent de la RADA, Nina Sosanya de la Northern School of Contemporary Dance et Thandie Newton de Tring Park School for the Performing Arts et ensuite de Cambridge.

6. Tu ne peux pas être actrice, il n'y a pas d'actrice noire

comédiens anglais s'exilent aux États-Unis par manque de rôles[38].

Que diraient-ils s'ils étaient en France...

Aux États-Unis, tout le monde est à même de le voir, dans chaque série ou presque, dans chaque film ou presque qui sort, il y a des rôles pour les comédiens noirs et métis qui très souvent ont fait des écoles artistiques. Ce n'est pas juste une question de nombre plus élevé de Noirs ou de Métis aux États-Unis ou en Angleterre (je ne pense pas qu'il y en ait plus en Grande-Bretagne qu'en France), c'est une reconnaissance qui a encore du mal à venir en France. Pourtant, on ne peut pas dire que le racisme soit éradiqué aux États-Unis, dans la vie quotidienne, en dépit de la présidence d'Obama. En France, le Noir est d'abord un corps, celui d'un joueur de foot ou d'un mannequin. Le métier de comédien est perçu comme un univers intellectuel où le sensible s'oppose au corps brut du sportif, au corps désincarné du mannequin. Et l'intellect, comme on sait, est l'apanage du Blanc. Le problème n'est pas tant le spectateur que l'image que se fait de lui le producteur, le réalisateur,

---

38. « Young black actors should go to America » http://www.telegraph.co.uk/culture/film/film-news/9051992/Young-black-actors-should-go-to-America.html, Daily Telegraph, 31 janvier 2012.
Why do black actors like Idris Elba have to go to the US for success? http://www.theguardian.com/uk-news/2014/jan/26/black-british-actors-success-america-idris-elba Hugh Muir, The Guardian, 26 janvier 2012.
Why black British actors are heading for the US http://www.theguardian.com/tv-and-radio/2012/feb/05/black-british-actors-america Vanessa Thorpe, *The Guardian*, 5 février 2012.

Quel dommage que tu ne sois pas plus noire

la chaîne de télévision, le directeur de casting, tout cela dans le désordre.

Si je dis que pour les femmes le métier est plus cruel, tout le monde le reconnaît dans l'ensemble, même les hommes. Mais si je dis que les scènes de théâtre ont longtemps été, et sont encore, blanches et que, quand je vais au théâtre, je ne vois que des comédiens blancs, les comédiens blancs peinent à le reconnaître. On m'objectera que c'est ce métier qui est difficile pour tous. Seulement, en réalité, il l'est plus pour certains que pour d'autres, et la chance n'est pas seulement d'être là au bon moment, elle est d'abord d'être blanc, et d'être un homme si possible. Certaines femmes blanches me disent que c'est plus intéressant de parler de la cause des femmes. Ce n'est pas plus intéressant, c'est parallèle.

La seule brèche possible a été et semble rester la comédie, de Pascal Légitimus à Clair Jaz.

D'où le fait que les comédiens noirs et métis de ma génération sont beaucoup moins connus des metteurs en scène et réalisateurs, des directeurs de casting, du public, que les comédiens blancs. Or si vous ne jouez pas, vous n'êtes pas vus et si vous n'êtes pas visibles, vous ne jouez pas !

Dans les années 1990, j'ai croisé la comédienne martiniquaise Jenny Alpha. Je répétais alors une pièce qui se déroulait en Algérie, d'où la possibilité que je sois engagée comme « petite Mauresque » et avec moi, deux comédiennes blanches qui, elles, n'avaient pas besoin d'être « justifiées » pour jouer des Mauresques, allez savoir !

Je ne connaissais pas Jenny Alpha. Elle ne m'intéressait pas. Personne ne s'intéressait à une actrice martiniquaise. Aujourd'hui, je connais un peu Jenny Alpha et j'aurais aimé que Régis D. la connaisse, elle qui a une place à son nom dans le XVᵉ arrondissement de Paris. Jenny Alpha est une actrice et une chanteuse qui a traversé le siècle, elle est morte à 100 ans et pourtant, je le redemande : quel Français blanc la connaît ? Sa vie est pourtant incroyable.

Et Euzhan Palcy, qui se souvient qu'elle est la réalisatrice de *Rue Cases-Nègres* ? Euzhan Palcy qui est partie travailler à Hollywood parce qu'en France il était impossible d'être une réalisatrice noire. À Hollywood, elle a notamment réalisé *Une saison blanche et sèche*, avec Marlon Brando, Suzanne Sarandon, Donald Sutherland. Hollywood n'est pourtant pas l'endroit où l'on va confier à la légère un budget supérieur à celui de n'importe quel film français.

« Nous ne sommes pas des Français à part entière, nous sommes des Français entièrement à part », a-t-elle dit, reprenant les mots d'Aimé Césaire, lors d'un festival sur les acteurs noirs et métis dans le cinéma français, au Forum des Images en 2010.

Quand Halle Berry et Denzel Washington ont eu chacun un Oscar, les journaux télévisés français ont salué l'exploit d'une Amérique toujours perçue à travers le prisme du racisme. Pourtant, aucune actrice métisse, aucun acteur noir n'avait eu de César en France et n'était même en passe d'en recevoir un, car aucun n'était assez visible pour avoir accès à des rôles césarisables. On voit toujours la poutre…

Pour mes 23 ans, c'est donc un livre sur les acteurs noirs américains – les Métis, n'en parlons même pas – qu'une camarade m'offrira, de Richard Pryor à Denzel Washington.

Pas sur les acteurs noirs français, comme Jenny Alpha donc, mais aussi le clown Chocolat, ou encore Habib Benglia, Darling Légitimus. Ma camarade ne les connaissait pas, pas plus que je ne les connaissais. Elle ne connaissait pas Georges Aminel non plus, elle qui connaissait pourtant bien l'histoire de la Comédie-Française.

Habib Benglia est un des comédiens de la troupe de Firmin Gémier, laquelle se produisit au théâtre de l'Odéon à partir de 1922, et fut le premier acteur noir à interpréter sur une scène nationale des rôles du répertoire classique. Combien de comédiens noirs ou métis sont montés sur la scène du théâtre de l'Odéon après lui et comme lui dans de grands rôles ? Je ne demande même pas pour les comédiennes.

Habib Benglia tourne avec Jean Grémillon dans *Daïnah la métisse* (1932).

Daïnah et son mari, un grand illusionniste, sont sur un bateau qui les conduit à Nouméa. Daïnah est belle, riche, séductrice, tourmentée. Comme la Célimène de Molière, tous les hommes sont conquis par elle. Elle danse comme dansera Brigitte Bardot dans *Et Dieu… créa la femme* (1956). Un soir, sur le pont, elle rencontre un mécanicien, joué par Charles Vanel, qui l'agresse. Plus tard, elle disparaît. S'est-elle suicidée ? A-t-elle été jetée par-dessus bord ? D'abord soupçonné, son mari découvre que le mécanicien l'a tuée et le jette à son tour par-dessus bord.

Sur le site Internet d'Unifrance – organisme chargé de la promotion et de l'exportation du cinéma français – je lis :

« Point de vue.

Daïnah est symboliquement métisse, symboliquement attirée par deux hommes contrastés, l'un Noir, l'autre

6. Tu ne peux pas être actrice, il n'y a pas d'actrice noire

Blanc. En elle, les valeurs semblent inversées : le mal apparaît blanc et le bien, noir[39] […]. »

No comment.

De même sur la page Web du catalogue Gaumont[40], on peut lire : « Elle use de son charme étrange et de son exotisme troublant. »

Or, quand le mécanicien lui demande : « Vous êtes des îles ? », elle répond : « Mes parents sont des îles, moi je suis née en France. »

Sylvie Chalaye a écrit plusieurs livres sur les acteurs noirs et métis français. Lors de mes recherches pour écrire ce livre, je suis allée dans une bibliothèque pour trouver *Du Noir au nègre*, son ouvrage sur l'image du Noir au théâtre (le cinéma est très récent et le théâtre fut pendant plusieurs siècles un art populaire).

La cote du livre est référencée sur le réseau Internet des bibliothèques de Paris par : Afrique 792 CHA. Afrique ! Le livre parle des personnages et acteurs noirs dans le théâtre français !

Ma camarade ne pouvait pas m'offrir ce livre de Sylvie Chalaye car il n'était pas encore écrit à l'époque. Pourtant d'autres livres existaient, mais elle n'a pas pensé à aller chercher un livre qui pourrait parler de l'existence des acteurs noirs et métis en France. Un livre sur les acteurs noirs et métis américains était plus évident, car les acteurs américains sont visibles.

Nous sommes effacés du passé, niés au présent. Cela rend tout un peuple amnésique. Ce n'est pas « l'homme

---

39. http://www.unifrance.org/film/34992/dainah-la-metisse
40. http://www.gaumont.fr/fr/film/Dainah-la-metisse.html

africain n'est pas assez entré dans l'histoire[41] », c'est « l'homme africain a été effacé des livres d'histoire ».

Je lui en ai voulu de ce cadeau qui se voulait pourtant un geste d'amitié. Je déteste qu'on m'offre des livres sur les Noirs juste à cause de ma couleur, je trouve cela très étrange et très stigmatisant. En revanche, j'encourage ceux que cette envie démange à lire le livre qu'ils me destinent.

Une amie métisse me racontait la même expérience et le même sentiment quand une collègue blanche lui a offert un livre de Maya Angelou. Cela nous interpelle.

Pour ma camarade blanche, c'était une reconnaissance, pour moi, c'était un enfermement. Cela me faisait mal. Elle-même était fière de dire qu'il y avait des Noirs dans ses origines, et dont ses cheveux blonds frisés témoignaient. Mais il faut être blanc et sûr de l'être, pour être fier d'être noir ! Si moi je dis que j'ai des origines blanches, je verrai les sourcils se froncer, les lèvres esquisser un sourire.

---

41. Nicolas Sarkozy, dans son discours à l'université Cheikh-Anta-Diop de Dakar le 26 juillet 2007.

7

Tu lis Toni Morrison parce qu'elle est noire ?

Je suis allée voir, il y a quelques années une représentation de *Gros Câlin*, de Romain Gary au théâtre de l'Atelier.

Je suis accompagnée d'une amie métisse à la peau claire qui ne l'identifie pas comme métisse. Après le spectacle, nous discutons avec le metteur en scène, un ancien camarade du Conservatoire. Mon amie constate qu'elle n'a jamais lu de livre de Romain Gary. J'en ai lu un. Je n'ai pas le temps de dire lequel que le metteur en scène me coupe :

— *Chien blanc* !

J'acquiesce, perturbée. Et le voilà qui s'exclame :

— J'en étais sûr !

Et je me sens eue. Comme je ne veux pas me fâcher et que les mots me manquent, je me tais. Plus tard, je serai en colère. Comment ce garçon, qui ne sait même pas ma date d'anniversaire, ni où je suis née, peut-il être sûr que de tous les livres de Romain Gary, le seul que j'aie lu serait *Chien blanc* ?

L'ironie est que si j'ai lu *Chien blanc*, c'est parce qu'un homme blanc avec qui je vivais l'a acheté pour lui, parce qu'en vivant avec moi, il se mettait à voir les Noirs avec un autre regard ! Ainsi, il ne disait plus : « Regarde, les Africaines là-bas », mais : « Regarde, les dames… » Je ne lui en parlais pourtant pas. Il ne sera pas le seul à réagir à ma présence de cette manière.

Un camarade comédien me demandera si je lis Toni Morrison parce qu'elle est noire ! Cette question m'a choquée. Je ne lis pas un livre parce que l'auteur est noir, sinon je n'aurais jamais lu. L'école ne nous parlait que d'auteurs blancs – d'ailleurs, je ne m'en apercevais pas. (Est-ce que cela a changé ?)

Comme le souligne mon psy, je lis un livre parce qu'il parle de moi, que ce soit Freud ou Toni Morrison. Je dois même dire que pendant longtemps, je me gardais de tout ce qui pouvait faire « ethnique », du monoï à Toni Morrison.

Je me suis forcée à lire Toni Morrison quand j'ai commencé à prendre de la distance avec le regard ghettoïsant que l'on posait sur moi. Et un jour, dans le métro où je lisais *Jazz*, une jeune femme blonde et blanche a levé le pouce en s'exclamant : « *She's great !* » Elle était américaine et lisait, elle aussi, Toni Morrison.

Ouf !

Chien blanc est une histoire autobiographique. Jean Seberg et Romain Gary sont à Hollywood où Jean Seberg tourne *Jeanne d'Arc*, je crois. Elle renverse un chien par accident et l'adopte. Le couple découvre que le chien est dressé pour tuer les Noirs. Nous sommes en 1968, en pleine lutte pour les droits civiques. Il est normalement impossible de déprogrammer un chien et il faut le piquer, mais Jean Seberg refuse, et ce sera un dresseur, noir, qui réussira à le déprogrammer.

Romain Gary écrit un livre d'amour à sa femme. Jean Seberg était très investie dans la lutte pour les droits civiques. C'est à elle que je m'identifie. Je me suis sentie plus proche d'elle, par sa fragilité, son sentiment de culpabilité, sa souffrance, ses engagements, que des femmes noires, moins incarnées, qui la rejettent. Si le livre était écrit du point de vue de l'une de ces femmes, alors sans doute, aurais-je pu m'identifier à elle. Mais l'héroïne est blanche, c'est elle qui est émouvante et c'est elle que l'on suit. Alors je suis blanche dans ce livre, comme je le suis, à chaque film français où de toute façon, je n'ai pas le choix.

Beaucoup de ceux qui ne sont pas blancs luttent sans cesse contre ce sentiment d'enfermement. Nous craignons le ghetto – dans lequel on se dépêche de nous jeter tout de même ! Ainsi souvent des réalisateurs dits « de la diversité » vont vite faire des films avec seulement des acteurs blancs, comme pour passer dans la cour des grands, et comme souvent des femmes réalisatrices se dépêchent de faire un film avec des hommes, pour ne surtout pas être accusées de faire des « films de femme ». En réalité, tout le monde veut être un homme blanc, car lui seul est supposé universel, au lieu de faire l'inverse, de déconstruire cette notion d'universel qui ne l'est pas, d'imposer un autre regard, qui n'est ni moins ni plus exhaustif que celui dont on a l'habitude. C'est d'ailleurs paradoxal : on m'a fait croire que nous étions universels

7. Tu lis Toni Morrison parce qu'elle est noire ?

et finalement on ne cesse de me ramener à une identité imaginaire privée d'universalité.

Safy Nebbou est-il donc l'un de ces réalisateurs quand il distribue Gérard Depardieu dans le rôle d'Alexandre Dumas ? Et Gérard Depardieu peut-il jouer Alexandre Dumas[42] ? La polémique autour du film permet de dresser l'état des lieux :

Où en sommes-nous avec l'inégalité des races en 2010[43] ?

D'un côté, l'identité d'Alexandre Dumas était parfaitement sue et enfin avouée. Plus de déni, de silence autour de ses origines antillaises noires. Seulement voilà : le film lui dénie son œuvre, comme si un afro-descendant ne pouvait avoir ce talent mondialement reconnu. Car tel est le sujet du film, on fait croire que son « nègre » blanc – et l'on s'amuse de cette inversion – aurait été le créateur de d'Artagnan. Ce biais, comme on dit en anglais, ce parti pris est troublant. Alors donc, tant qu'Alexandre Dumas est blanc, il est génial, mais dès qu'il est un quart noir, c'est un imposteur ? Imposture donc que le métissage ? La crainte du *passing*, une fois de plus ?

Connaissant le fonctionnement d'une production, aucune surprise que l'ogre Depardieu soit pressenti pour jouer l'imposant Dumas, d'autant que Depardieu a une fille quarteronne (lui aussi) et que le cinéma aime ce genre de rapprochement. Cela semble sans doute aller de soi, même si l'un est blond aux cheveux lisses et que l'autre

---

42. *L'Autre Dumas*, 2010, réalisé par Safy Nebbou.
43. http://blogs.mediapart.fr/blog/eric-fassin/040310/alexandre-dumas-le-negre-dun-mulatre-12

a les cheveux noirs très frisés. Après tout, un acteur se déguise, et il suffit d'une perruque. Cela fait partie du jeu de l'acteur de changer d'identité. Et puis, quarteron, ce n'est pas noir ; quarteron, c'est presque blanc, voire blanc.

Alexandre Dumas était clair de peau, alors qu'il soit plus mat que Gérard Depardieu n'est pas grave, ai-je lu. Mais c'est oublier, outre ses cheveux très frisés, les caricatures de ses origines noires et les insultes dont il fut l'objet. Voici un exemple de ce qu'on disait de lui :

« Lèvres saillantes, nez africain, tête crépue, visage bronzé. Son origine est écrite d'un bout à l'autre de sa personne ; mais elle se révèle beaucoup plus encore dans son caractère. Grattez l'écorce de M. Dumas et vous trouverez le sauvage. Il tient du nègre et du marquis tout ensemble. Cependant, le marquis ne va guère au-delà de l'épiderme[44]. »

Admettons qu'un acteur puisse tout jouer. Le problème est qu'en réalité seuls certains Blancs en ont le droit. Par ailleurs :

1° C'est ce qui a toujours été fait : les Blancs jouant des Métis. Hollywood a souvent, et avec profondeur, traité le sujet du *passing*. Par exemple, dans *Le Mirage de la vie* (*Imitation of Life*) du réalisateur germano-danois Douglas Sirk, une jeune fille blanche renie sa mère noire, tombe amoureuse d'un garçon blanc qui la bat et la quitte quand il apprend qu'elle est « noire ». De même, dans *L'Arbre de vie* (*Raintree Country*), une jeune femme blanche du sud des États-Unis élevée par une « nounou »

---

44. Eugène de Mirecourt, *Fabrique de romans. Maison Alexandre Dumas et compagnie*, 1845, *loc. cit.*, p. 37.

7. Tu lis Toni Morrison parce qu'elle est noire ?

noire, devient folle à l'idée d'être la fille de cette femme qu'elle aime pourtant comme une mère.

2° Corollaire : dès que l'on franchit la *colour bar*[45] qui fait qu'on ne peut plus complètement passer pour blanc, alors on est noir, et soudain on ne peut plus jouer son propre rôle de Métis ! Moi, Métisse, ce sera donc Angelina Jolie qui me jouera, comme elle a joué la femme de Daniel Pearl. Mais je ne pourrai jamais jouer Angelina, et je vois déjà les sourires s'esquisser à cette évocation. Je pourrais comme Depardieu mettre une perruque, me détendre les cheveux, mettre un fond de teint un peu plus clair et le tour est joué. Qu'est-ce qui dérange dans cette option-ci ? Depardieu peut jouer Dumas, mais un acteur métis ne le peut pas. Parce qu'il n'y a pas d'acteur métis assez connu pour le jouer ? C'est l'argument souvent énoncé, dont le corollaire est : il n'y a donc pas de bons comédiens noirs ni métis.

Alors bien sûr, les comédiens noirs et métis qui sont nombreux en France étaient très en colère que Gérard Depardieu leur ait piqué un des fleurons de leur histoire – qui est aussi celle de Depardieu, puisque tout de même nous avons la même histoire – sans contrepartie. Car c'est de cela qu'il s'agit : la contrepartie. L'universalité blanche contre la peau stigmatisée et stigmatisante.

Pourquoi est-ce encore si difficile de distribuer des comédiens noirs et métis dans les films français ? Pourquoi est-ce si difficile de voir des histoires où l'un est blanc et pas l'autre ? Pourquoi, les histoires d'amour sont-elles

---

45. La *colour bar* (« barrière de la couleur ») est le nom donné au mur invisible qui séparait les Blancs des Noirs aux États-Unis.

Quel dommage que tu ne sois pas plus noire

presque toujours blanc/blanc, et quand, exceptionnel-
lement, cela ne l'est pas, alors c'est justement le sujet
du film ? Pourquoi les familles sont-elles blanches et
rarement métissées ? Pourquoi ne voit-on jamais des
frères et sœurs de couleurs de peau différentes ? Dans la
vraie vie, il y a même des jumeaux qui ont une couleur de
peau différente[46].

Je disais plus haut que la télévision avait fait des
efforts après les émeutes de 2005. La jeune Jina Djemba
dans *Les Bleus, premiers pas dans la police* n'aurait
jamais eu un personnage aussi nuancé, cultivé dans les
années 1990-2000. Ni elle, ni Sara Martins n'auraient sans
doute eu les prix qu'elles ont eus au théâtre.

En revanche, pour le cinéma, c'est laborieux. Dans
l'article de *Télérama* du 17 mai 2014, « Le cinéma français
doit se réveiller », le journaliste écrit :

« Voici un projet de polar qui connaît les mêmes
difficultés (de financement). *Appel d'air*, d'Hadrien Bichet.
Classique. Joliment écrit. Pas très difficile à caster. Du
cousu main. Mais l'un des héros est un Noir. Un comité
d'écriture demande à l'auteur d'expliquer pourquoi le
Black a immigré. D'aller tourner ces scènes explicatives
– bien inutiles à l'intrigue – dans le pays d'origine du
personnage. De faire du Ken Loach, en quelque sorte.
Une célèbre comédienne, membre d'une commission
de financement, lui dit même : "Votre Black manque

---

46. http://www.theguardian.com/lifeandstyle/2011/sep/24/twins-black-white?
INTCMP=SRCH et http://www.theroot.com/articles/news/2015/03/nobody_
believes_these_bi_racial_twins_are_sisters.html?

7. Tu lis Toni Morrison parce qu'elle est noire ?

d'exotisme". L'opinion de cette sotte l'emporte. Le projet capote… »

Le problème – un des problèmes ! – c'est l'absence de mélange dans ces commissions. Si des artistes noirs, métis, asiatiques siégeaient dans les commissions d'attribution et les comités de lecture, et non pas seulement dans les commissions sur la diversité, ce genre de phrase ne passerait plus. Si cette phrase a effectivement convaincu l'ensemble de la commission, c'est grave.

Bien sûr, Omar Sy a eu un César. Oui, voilà et après ? Sans réfléchir, comme ça, vite, donnez-moi des noms d'acteurs noirs ou métis français. J'ai dit sans réfléchir ! Et maintenant donnez-moi des noms d'acteurs noirs ou métis américains ? Eh oui ! CQFD.

J'imagine que, pour la plupart des gens, tous ces acteurs seront noirs car, qui sait que Halle Berry a une mère blanche, que le père de Thandie Newton est blanc (oui, je sais qu'elle est anglaise !), ou que Vin Diesel, qui passe pour blanc, est métis, lui-même se décrivant comme « une personne de couleur » ?

Mes camarades blancs et blanches, acteurs et actrices, ne connaissent pas les acteurs et actrices métis français que moi je connais : Nicole Dogué, Sylvie Laporte, Myriam Tadessé, France Zobda, Xavier Thiam…

Mais grosso modo, nous connaissons les mêmes noms d'acteurs et d'actrices blancs, même ceux que le grand public ne connaît pas, mais qui travaillent régulièrement, font une belle carrière dans le théâtre et ont des seconds rôles à la télévision ou au cinéma.

Nicole, Sylvie, Xavier sortent du Conservatoire, Myriam de l'École nationale supérieure des arts et techniques du théâtre (ENSATT), anciennement appelée la Rue Blanche. France Zobda, aujourd'hui, produit des téléfilms où elle essaie de raconter des histoires que les livres d'histoire ont oubliées, comme celle de Toussaint Louverture ou des GI noirs dans l'armée américaine.

8

Toi, tu n'as pas besoin de maquillage !

Je me souviens de cette phrase lue dans un article d'un hebdomadaire télé en 2003. Un chroniqueur cinéma écrit à propos d'Halle Berry : « Elle, en *chocolate girl* prête à bouffer du premier rôle glamour. »

J'ai été profondément choquée. Je n'ai eu aucune réponse après avoir écrit au magazine. L'article est encore lisible en ligne aujourd'hui.

Cette remarque a le mérite de résumer ce que la femme métisse évoquait encore en 2003 ! chez certains. Le Noir est au Blanc ce que, *mutatis mutandis*, la femme est à l'homme, alors pensez, la « femme chocolat », même si, en réalité, elle est café au lait !

Halle Berry serait *chocolate*. Très exactement, elle serait déguisée en *chocolate girl*. Que peut bien vouloir dire ce « en *chocolate girl* » ? Halle Berry est métisse, sa peau est café au lait, pas du tout chocolat. Qu'est-ce qui dérange ce critique au point de voir dans la couleur café au lait et non chocolat de Halle Berry un « déguisement » ?

95

De café au lait, elle se déguiserait en chocolat ? Halle Berry serait-elle donc une blanche déguisée en noire ? Quoi, elle jouerait à être plus noire qu'elle ne l'est ? C'est dire que son métissage trouble !

Le film qui vaut à Halle Berry l'étrange remarque du journaliste est *À l'ombre de la haine* (*Monster's Ball*).

C'est l'histoire d'un Blanc, dont le fils se suicide, qui va tomber amoureux d'une Métisse dont le fils meurt d'un accident de voiture. Ce n'est pas drôle du tout. La confrontation de deux solitudes, de deux misères, la peine de mort, le racisme. On peut ne pas aimer le film. L'attaque contre Halle Berry raconte autre chose. « En *chocolate girl* » : bien sûr, j'entends le désir de manger, croquer, lécher le chocolat... qui révélerait, une fois celui-ci englouti, la blancheur ? Halle Berry fait-elle bander le journaliste ? Mais pourquoi cette violence ? Des scènes d'amour torrides au cinéma, Monsieur a dû en voir d'autres, ce n'est quand même pas un Français que ça effarouche.

Le trouble, toujours ce trouble, que le métissage porte avec lui. Ailleurs, c'est Jeanne Duval, l'amoureuse de Baudelaire, qui portait le stigmate de la mulâtresse hypersexuelle et déchaînait une violence suspecte :

« [Baudelaire] se lie avec une mulâtresse, une infime théâtreuse qui se livre surtout à la galanterie. Cette technicienne restera sa maîtresse toute sa vie. [...] Cette minable figurante qui s'adonne à la prostitution et à l'alcool, convertira l'art de Baudelaire à la nuit[47]. » Ou encore : « Elle sait de longue date qu'elle est maîtresse

---

47. Paul Guth, *Histoire de la littérature française*, Paris, Fayard, 1967, tome III : *Des orages romantiques à la Grande Guerre*, p. 472.

Quel dommage que tu ne sois pas plus noire

en amour et qu'elle a assez d'expérience pour répondre à tous les désirs, au moindre des fantasmes, à la plus basse des manies de cet homme exalté qui vient de tomber sous son joug. [...] Elle sait qu'elle est différente des autres femmes qu'il a connues [...]. Y compris les profession-nelles des maisons closes [...]. Elle sait, elle, qu'elle est, par rapport à toutes ces filles, une vicieuse[48]. »

Incroyable ! Le métissage est encore anxiogène en 2003 dans la bouche du critique de l'hebdo télé ou en 2006 chez le biographe de Baudelaire, l'un et l'autre appartenant à l'élite culturelle blanche francophone (le biographe est belge).

En 2008, l'actrice Valérie Lemercier est « chocolatée » par Étienne Chatiliez dans *Agathe Cléry*. Encore une comédie qui pour dénoncer le racisme... cumule les clichés ! Valérie, blanche, ne sait pas danser, mais Valérie, noire (enfin noire ! si on peut dire, car c'est un noir qui n'existe pas), sait danser ! Et vlan ! Les Noirs et leur sens artistique, enfin, animal. Car quand il s'agit d'art alors, non, permettez, c'est intellectuel, donc blanc.

La comédienne blanche déguisée ne déclenche pas les mêmes propos vulgaires que Halle Berry. Pourquoi ? La femme métisse est un objet de fantasmes effarants. La femme-objet des publicitaires, dénoncée par les féministes, devient deux fois plus objet quand elle est métisse ou noire.

Ce *blackface* renvoie à ces époques où pour jouer les pièces d'Olympe de Gouges, les comédiens de la

---

48. Jean-Baptiste Baronian, *Baudelaire*, Paris, collection « Folio biographies », Gallimard, 2006, p. 49-50.

8. Toi, tu n'as pas besoin de maquillage !

Comédie-Française devaient à contrecœur s'enduire de jus de réglisse – ils se sentaient dégradés. Cela renvoie aux masques noirs sur les visages blancs des courtisans du XVIIe siècle qui jouaient « aux faces brûlées » ; cela renvoie aux comédiens du XVIIIe siècle qui jouaient aux bons sauvages qui dansent et qui chantent, ou aux Noirs stupides et lubriques ; cela renvoie aux *minstrels shows*, aux États-Unis. Noir est un maquillage en soi. Mais Blanc ne l'est pas.

Régulièrement, des photos sont postées sur les réseaux sociaux, comme ces policiers qui s'amusent à jouer les *blackfaces* ou encore cette journaliste déguisée en Solange Knowles.

Je me souviens de cette camarade au Conservatoire, au moment de ce qu'on appelait « les Journées » (les représentations devant les professionnels). Elle était en train de se maquiller et, généreusement, mettait du blush sur les pommettes des autres filles.

« Toi, tu n'as pas besoin de maquillage ! » me dit-elle, comme Panoramix refuse la potion magique à Obélix parce qu'il est tombé dedans quand il était petit.

Dans l'excitation, je n'ai pas eu le temps d'être blessée.

« Si ! si ! » ai-je dit, toute effervescente.

Elle m'a mis du blush et je suis entrée en scène pour jouer Groucha dans *Le Cercle de craie caucasien*, rôle que nous partagions toutes.

Mais ses mots se sont inscrits en moi. Ils ne se voulaient pas méchants, pas plus que ceux de C… ou ceux de tant d'autres. Des mots d'une grande violence sous l'apparente affection.

9

Le spectateur ne peut pas s'identifier, tu comprends...

De l'autre côté de la Manche, dans un pays où la traite et le racisme n'ont rien à envier à la France, la confrontation avec l'histoire a pourtant eu lieu, et est toujours en cours. Nombre d'articles de journaux en témoignent. Le métissage est visible dans les productions télévisuelles comme dans la publicité.

La BBC crée des séries comme *Mayday* (2013) où l'actrice Sophie Okonedo, Métisse, joue le rôle d'une femme au foyer, anciennement détective de police. Elle est mariée à un policier, blanc, ils ont trois enfants, de toutes les couleurs. Le casting a même ce luxe de distribuer une autre actrice métisse dans le rôle d'un professeur d'anglais qui parle d'*Othello*. Deux actrices métisses dans une minisérie de cinq épisodes, dont un rôle principal, sans même le faire remarquer ? Fichtre !

Depuis 2012, la BBC produit *Last Tango in Halifax*, avec Nina Sosanya. Dans cette série, ce qui dérange la mère, blanche, de l'héroïne, c'est que sa fille devienne lesbienne et que la compagne soit possiblement d'origine… écossaise (le personnage de Nina Sosanya s'appelle Kate McKenzie). Quand on connaît l'antagonisme entre l'Angleterre et l'Écosse, c'est malin de le relever, et non pas la couleur de peau.

Plus loin, la télévision australienne produit *The Slap* (2011), avec la même Sophie Okonedo, dont l'histoire raconte les réactions des personnages après que l'un d'entre eux a giflé un enfant qui n'est pas le sien au cours d'un barbecue.

Certes, il y a des manques en Angleterre et nombre d'acteurs noirs ou métis se plaignent aussi du manque de rôles.

La journaliste Ava Vidal l'écrit dans le *Daily Telegraph* :

« Dans mon expérience, ceux qui prennent les décisions à la télévision sont effroyablement réaction- naires. Ils semblent n'avoir aucune idée du monde qui existe en dehors de leur bulle très blanche, très classe moyenne[49]. »

Ce constat est le même en France, sauf qu'ici les journa- listes ne le dénoncent pas. Pourtant, il suffit d'allumer une télévision anglaise pour constater l'écart avec la France, de voir les affiches de cinéma. Fréquemment, les couples Blancs/Noirs, Indiens/Blancs sont représentés, ce qui est loin d'être le cas au pays des droits de l'homme et de l'universalisme.

---

49. « *In my experience those making decisions in television are shockingly backward. They don't seem to have any idea of the world that exists outside of their very white, very middle-class bubble.* »

Sophie Okonedo, Nina Sosanya sont des actrices de ma génération, de même que Thandie Newton et Halle Berry pour ne citer qu'elles. En France, il va falloir attendre dix à quinze ans de plus pour qu'une actrice métisse apparaisse sur les écrans. Aucune actrice métisse et noire de ma génération n'a pu véritablement crever le plafond de verre.

Dans *Peaky Blinders* (depuis 2013), une série qui se déroule à Birmingham à la sortie de la Première Guerre mondiale, il y a une communauté asiatique, des Roms, et un prédicateur métissé ! Dans la série à succès *Downton Abbey* (depuis 2010), il y a un comédien noir et une relation amoureuse avec une Blanche. Dans tous les cas, c'est historiquement crédible – si tant est que la fiction soit obligée d'être crédible.

Dans la série *Merlin* (2008-2012), c'est Angel Coulby, Métisse, qui joue… la reine Guenièvre !

On dira qu'il n'est pas crédible que la reine Guenièvre soit métisse. Ce n'est pas non plus crédible de pouvoir changer de formes comme Merlin, pas plus qu'une épée soit magique comme Excalibur ou que Morgane soit une fée.

En fait, la Table ronde compte un personnage noir, Sir Morien, le chevalier noir. S'il est noir, ce n'est pas à cause de son costume mais parce que c'est un Métis ; fils d'un des chevalier de la Table ronde, sa mère est une princesse maure, synonyme d'Africain à l'époque.

De même, au pays de Galles, saint Deiniol de Bangor, mort en 584, est un saint noir comme le montrent certaines icônes. Et qu'on ne vienne pas me dire que c'est le temps qui aurait noirci ses cheveux, sa main et son visage mais pas le blanc de sa robe[50] !

---

50. http://www.oystermouthparish.com/st-deiniol

9. Le spectateur ne peut pas s'identifier, tu comprends…

Dans *The Mystery of Edwin Drood*, une adaptation d'un roman inachevé de Charles Dickens, deux jeunes acteurs métis anglo-indiens Sacha Dhawan et Amber Rose Revah, ont de vrais rôles. Ce qui est intéressant dans cette série, c'est que ces deux personnages sont métis, ils sont nés en Inde, alors colonie anglaise. L'histoire est reconnue, sans pour autant que les protagonistes soient exotisés. Au contraire, ils sont métis et anglais, et voilà.

Dans la série *Fortitude* (2015), qui se passe dans un archipel norvégien, un des rôles principaux est joué par Nicholas Pinnock, dont les parents sont jamaïcains. Il est marié à une femme blanche avec qui il a un enfant métis. L'actrice Chipo Chung, Métisse de mère d'origine chinoise et de père zimbabwéen, joue la femme d'un scientifique blanc. Elle aussi est issue de la RADA. Dans *Camelot*, elle tient le rôle de la fée Vivian.

Je pourrais aussi citer la série musicale *Galavant* (2014). La liste n'est pas exhaustive.

Que ce soit dans les séries ou dans les films, l'histoire ne tourne pas autour du « mariage mixte ». La couleur n'est pas une *issue* comme on dit en anglais. Et quand une série reste étonnamment blanche, c'est finalement dénoncé par les médias, comme pour *Midsomer Murders* (*Inspecteur Barnaby*). Et quand son créateur affirme que le succès de la série est dû à « son manque de culturalisme », il est suspendu[51].

---

51. « Incest, blackmail, murder – but no minorities in *Midsomer*, please, we're English ! », Hannah Pool, *The Guardian*, 15 mars 2011. http://www.theguardian.com/commentisfree/2011/mar/15/ethnic-minorities-midsomer-murders-brian-true-may

Quel dommage que tu ne sois pas plus noire

Pour la France, je ne donnerai qu'un exemple récent : la série policière *Duel au soleil* (2014), où l'intégralité du premier épisode est consacrée à établir que le personnage joué par Yann Gael, l'inspecteur Le Tallec, est bien noir et breton. Il est d'ailleurs le seul personnage noir de l'épisode dont l'action se passe en Corse (pourtant le drapeau de la Corse est une tête de Maure) et à Marseille. Curieusement, on pourrait penser qu'un Noir sait qu'il est noir et que les gens qui le voient s'en aperçoivent aussi, mais apparemment, non. Il faut le dire et le répéter.

Je retiens cependant que Yann Gael est issu du Conservatoire, il n'est ni rappeur ni footballeur.

Un des arguments souvent entendus en France pour justifier le non-emploi des comédiens métis et noirs est : « Le spectateur, (sous-entendu blanc car il n'y aurait de spectateur que blanc) ne peut pas s'identifier à un comédien noir ou métis. »

J'aurais envie que tous les Noirs et Métis de France ne regardent plus la télé et ne paient plus la redevance, n'aillent plus voir de films français dans lesquels ils ne sont pas. Juste pour voir, comme ça, économiquement, ce que cela changerait.

Comme me fait remarquer une amie – blanche : « Pourtant, le spectateur peut s'identifier à une marionnette extraterrestre dans *E.T.* ! À un cochon qui parle dans *Babe* ! »

Et que dire des journalistes et des présentateurs des journaux télévisés en Angleterre ? Ce n'est pas un ou deux comme en France, mais une normalité qui n'est pas réservée à une chaîne spéciale, telle France O. Chaque fois que je vais à France O, à Malakoff, je suis

9. Le spectateur ne peut pas s'identifier, tu comprends...

frappée du nombre de Blancs. Et chaque fois que je vais à France 2 ou France 3, esplanade Henri de France, à Paris, je suis frappée du nombre de Blancs. Les Blancs travaillent à France O et y travaillaient avant que la chaîne devienne nationale, quand encore trop peu de Noirs et de Métis travaillent sur les chaînes traditionnelles. Même si, encore fois, cela s'est tout de même coloré ces dernières années.

En prenant le train gare du Nord, il y a quelque temps, un panneau publicitaire m'a interpellée. Il montrait le visage de l'auteur Daniel Picouly avec un curieux slogan : « Je n'ai pas besoin de nègre pour écrire. » Je me suis arrêtée, perplexe, et j'ai vu, sur un autre panneau, le joli visage d'une jeune femme métisse dont les cheveux bonds frisés m'ont attirée, avec un slogan qui m'a perturbée : « Je ne suis pas une sauvage. »

Je ne sais pas quelle est l'agence de pub qui a eu cette brillante idée, mais je ne peux m'empêcher de penser au sketch des Inconnus, *Les Publicitaires*.

Les chaînes de télévision sont aussi coproductrices des films, elles ont une responsabilité quant aux rôles très souvent blancs du cinéma français où le métissage est absent.

En 2008, dans une lettre au *Nouvel Observateur*[52], la réalisatrice Éliane de Latour se plaignait de la difficulté de faire une distribution métisse dans le cinéma européen.

En France, chaque année, le CSA dit qu'il n'est pas content. Et c'est tout. Tout le monde hoche la tête et... trois petits fours et puis s'en vont.

---

52. « La parole aux lecteurs », *Le Nouvel Observateur*, 18 juin 2008.

Quel dommage que tu ne sois pas plus noire

C'est aussi une question politique sur laquelle les politiques français sont muets. En Angleterre – encore, je sais, mais nous avons une histoire coloniale et esclavagiste similaire, et c'est un pays que je connais bien – le député métis Chuka Umunna a dénoncé les « stéréotypes paresseux »[53] qui poussaient les acteurs anglais noirs et métis à quitter le pays pour les États-Unis.

Je ne me souviens pas d'avoir entendu un seul politique en France soulever la question de l'absence de rôles pour les acteurs et actrices noirs et métis.

Pourtant, France Télévision est une chaîne d'État dont une des missions est de représenter tous les publics. Les nominations des théâtres nationaux sont faites par le ministre de la Culture, le Centre national du cinéma est un établissement public. Je ne me souviens pas d'avoir entendu un homme ou une femme politique commenter le rapport du CSA, par exemple. À croire que nous ne votons pas, nous, artistes non blancs.

Est-ce dû à l'universalisme dont la France s'honore ? Le Code noir est là, pourtant, pour montrer que ces résistances sont antérieures à la notion d'universalisme républicain.

L'Angleterre est entrée dans le commerce des esclaves avant la France, elle a pratiqué la traite sur une plus grande échelle que la France. Elizabeth Ire a ordonné l'expulsion de tous les Africains noirs d'Angleterre. Ses colonies ont été aussi violentes que les colonies françaises. Pourtant, l'Angleterre du XVIIe siècle, où il y a six fois plus de Noirs qu'en France, et donc forcément de Métis, n'a pas interdit

___

53. http://www.independent.co.uk/arts-entertainment/films/news/black-actors-leave-britain-to-escape-lazy-stereotypes-says-chuka-umunna-8915673.html

9. Le spectateur ne peut pas s'identifier, tu comprends...

les mariages dits « interraciaux » comme le fera la France, n'a pas eu de police des Noirs, n'a pas exigé que ceux-ci portent, comme en France, un cartouche avec leur nom, leur âge et le nom de leur maître, alors que sur le sol hexagonal, l'esclavage était supposé être interdit tout comme en Angleterre. Les mouvements abolitionnistes partiront d'Angleterre et pousseront les Français à abolir l'esclavage.

L'esclavage fut aboli en Angleterre en 1833, l'émancipation définitive a eu lieu en 1838. Il sera définitivement aboli en France en 1848, après une courte période d'abolition dans certains territoires (1794-1802).

Ces écarts se retrouvent aujourd'hui et la production cinématographique et télévisuelle en témoigne.

10

OUI, MAIS MOI C'EST PAREIL, JE SUIS TROP VIEUX, TROP JEUNE, TROP PETIT, TROP GRAND...

Dans le cinéma français, pour parler du racisme, il faut écrire des comédies – et cela tombe bien, puisque les acteurs noirs et métis sont tous des comiques en puissance !

En somme, il faut s'excuser d'aborder un sujet qui crucifie une partie de la population, pour ne pas avoir l'air d'accuser l'autre partie. Fi de l'histoire, fi des histoires. *Agathe Cléry*, *La Première Étoile*, *Intouchables*, *Qu'est-ce qu'on a fait au Bon Dieu… ?* Dans tous les cas, la conclusion du film est sur le mode : nous sommes tous un peu racistes. Si quelques journaux français ont dénoncé un racisme larvé dans *Qu'est-ce qu'on a fait au Bon Dieu ?*, si *Intouchables* a fait bondir une partie de la presse américaine, la véritable question n'est pas posée : pourquoi est-il encore si difficile sinon impossible d'aborder ces sujets autrement que par la comédie ?

En 2013, un réalisateur noir anglais, Steve McQueen, dirige le film *12 Years a Slave*... En France, en 2010, sur le thème de l'esclavage sort une comédie, *Case départ* !

Je n'ai rien contre les comédies, au contraire, j'adore cela. Je constate seulement que le racisme, sujet fort peu drôle pour ceux qui le vivent, devient un prétexte à rire – *Intouchables* n'en parle pas directement, mais il est sous-entendu. Je constate l'unicité des traitements et m'interroge.

Si l'on se contentait de raconter des histoires, il n'y aurait nulle crainte de culpabiliser ou pas qui que ce soit. La plupart des gens ont des membres de leur famille d'une autre couleur, d'un autre pays, d'une autre origine. Il n'y aurait que dans ce milieu télévisuel et cinématographique où tout le monde serait blanc ?

Si l'on se promène en France, on s'aperçoit que le mari de la patronne du café, ici en Normandie, est africain, que la fille d'un couple de voisins a des enfants métis, que le frère d'une copine est marié avec une Asiatique, que le plombier de ce petit village en Creuse est d'origine réunionnaise – et pour cause !

On peut toutefois lire dans le succès de ces films que le sujet intéresse, et surtout, que la couleur de l'acteur n'a pas d'importance. Le public s'identifie et je serais curieuse de savoir à quels personnages il s'identifie le plus en réalité. Le public se moque de la couleur des acteurs. Tous les comédiens noirs et métis le savent, toutes nos expériences sur scène le prouvent. Les personnalités préférées des Français ont longtemps été Zidane et Yannick Noah. Mais rien à faire, ça bloque. Pourquoi ?

Peut-être que ces succès répétés de comédies familiales vont enfin permettre aux comédiens noirs et métis d'avoir des rôles diversifiés au cinéma.

Pourquoi n'engage-t-on pas plus de scénaristes, réalisatrices françaises noires, métisses ? Ce n'est pas par manque d'auteures, loin de là. Je me souviens d'un réalisateur connu qui répondait à ma lettre en déplorant qu'il n'y ait pas davantage de réalisateurs africains. Pourquoi serait-ce dévolu à un réalisateur africain de parler de nous, enfants de France, élevés à la Nouvelle Vague ? Quand le film se déroule en Afrique, le personnage européen est joué par Isabelle Huppert. La femme blanche en Afrique est le sujet de nombreuses pièces de théâtre, des films de Brigitte Roüan, de Claire Denis, de Bertrand Tavernier, mais la femme métisse en Afrique, je ne l'ai jamais vue.

Quand je préparais mon émission de radio, en 2006, je me souviens d'avoir parlé au téléphone avec un jeune homme de 20 ans et l'entendre me dire qu'il n'avait pas de relation avec le côté sénégalais de sa mère, qu'il avait grandi « ici ». D'emblée, il me signifiait qu'il était européen.

Certes, le réalisateur de *La Première Étoile* est noir. C'est rare qu'un réalisateur noir puisse trouver une production qui, non seulement lui fasse confiance, mais l'encourage à jouer le premier rôle. En vingt ans, je n'ai rencontré qu'une seule directrice de casting qui n'était pas blanche, et je n'ai rencontré qu'un seul réalisateur noir avant 2005. Je n'ai travaillé avec aucun réalisateur, metteur en scène, aucune réalisatrice, metteuse en scène, qui ne soit pas blanc ou blanche.

10. Oui, mais moi c'est pareil, je suis trop vieux, trop jeune, trop petit, trop grand...

Qu'Euzhan Palcy ait moins de difficulté à réaliser à Hollywood qu'en France laisse perplexe. C'est François Truffaut qui l'a soutenue pour *Rue Cases-Nègres* ; François Truffaut, dont j'adore tous les films, et particulièrement *Les Deux Anglaises et le continent,* n'a jamais, il me semble, engagé de comédienne qui ne soit pas blanche.

Je me souviens d'une discussion avec Agnès Varda sur le féminisme inspiré des mouvements noirs américains pour les *Civil Rights.* Elle avait une grande admiration pour ce mouvement. Pourtant, quand je lui ai dit qu'elle n'avait jamais engagé de comédien ou comédienne métis-se ou noir(e) dans ses films, elle était gênée. C'est tout le paradoxe de la France.

La position des Métis est encore un peu plus complexe. On nous fait bien remarquer, lorsque nous ne sommes pas « assez crédibles pour jouer un Noir », qu'on souhaiterait un maquillage plus foncé, alors que, quand nous ne sommes pas « crédibles pour jouer un Blanc », on ne nous dit jamais qu'on souhaiterait un maquillage plus clair, curieux.

Quoi de plus symbolique qu'une actrice, quoi de plus fort dans les représentations que les rôles ?

J'ai ainsi découvert en entrant dans la profession que de bonne élève, studieuse, j'étais d'emblée proposée pour des rôles subalternes et des rôles de subalternes. Là où mes camarades blanches pouvaient être journaliste ou psychologue, avoir plusieurs jours de tournage, moi j'étais appelée pour un rôle de nounou que je n'avais finalement pas au prétexte que je ne faisais pas assez africaine, ou d'aide-soignante, avec un ou deux jours de tournage, sauf exception. Ma voix était « trop douce », je n'étais pas « assez haute en couleur ». Je n'ai rien contre les aides-soignantes, ma mère le fut. Mais, je trouvais curieux que mes camarades blanches sans diplôme aient le droit de jouer des personnages diplômés, alors que moi, sortant de math sup et licenciée en anglais, je n'avais pas le droit de l'être en fiction.

Le comédien Jean-Michel Martial a fait des études de chirurgien-dentiste avant de s'orienter vers le théâtre. Je ne me souviens pas d'avoir vu un comédien noir ou métis français jouer un chirurgien ou un chirurgien-dentiste. Je n'ai pas tout vu, il est vrai.

Je me souviens d'un garçon qui travaillait comme serveur dans un club parisien. Il avait fait l'École centrale et n'avait pas trouvé de travail. Du coup, il avait continué des études et fait une maîtrise scientifique en plus.

Il se sentait « coupable », ce sont ses mots, de ne pas trouver du travail.

Bien sûr qu'on se sent coupable. Bien sûr que l'on se remet en question.

La Condition noire, de Pap Ndiaye[54], montre que les Noirs français sont plus diplômés, proportionnellement, que les Blancs. Les Noirs diplômés sont plus au chômage que les Noirs sans diplôme. Les représentations suivent ce schéma qui veut qu'un Noir soit videur et pas ingénieur, qu'une Métisse soit infirmière et pas gynécologue.

Je ne ferai même pas la comparaison femme noire ou métisse/hommes blancs, noirs ou métis… Là, l'iniquité est à son comble :

---

54. Pap Ndiaye, *La Condition noire. Essai sur une minorité française*, Paris, Calmann-Lévy, 2008.

---

10. Oui, mais moi c'est pareil, je suis trop vieux, trop jeune, trop petit, trop grand...

Lors d'un de ces castings nous devions passer en binôme. Rien de bien intéressant, ni de bien difficile, un casting pour un film industriel. Je n'ai pas le temps de dire ouf, qu'on m'attribue un binôme. Le directeur de casting, un de ces jeunes gens tout droit sorti d'un livre de Beigbeder, jette un œil sans intérêt aux CV, me distribue tout de go dans le rôle de l'employée et distribue l'homme dans celui du patron. Mon CV était plus riche. Mais peu importe. Le garçon ne savait pas jouer. Mais c'est un garçon…

Ils faisaient déjà un effort pour mettre de la couleur, ne pensons pas qu'ils en feraient pour l'égalité des sexes !

Cette inégalité de traitement, due à cette vision parfois consciente, souvent inconsciente, que les Noirs seraient moins éduqués que les Blancs, rend forcément nerveuse.

La camaraderie se déchire inévitablement au fil de ces expériences aliénantes que l'autre ne connaît pas et dont il lui est difficile de reconnaître l'existence, ou prétend qu'elles sont similaires à celles qu'il rencontre lui aussi dans l'exercice d'une profession inéquitable. Par exemple, si j'aborde le sujet avec un acteur blanc, très vite, il me rétorque : « Oui, mais moi c'est pareil, ici je suis trop vieux, là trop jeune, ou trop petit, ou trop grand… » Et si je dis que, non, ce n'est pas pareil, car je peux aussi être trop jeune, trop vieille, trop grande, trop petite… mais qu'on ne lui reprochera jamais à lui d'être « trop blanc ou pas assez », ce n'est pas accepté. C'est très difficile, voire impossible de parler de ce sujet avec des comédiens blancs. Or, les comédiens noirs et métis en parlent beaucoup entre eux.

La moindre série B américaine a souvent abordé ce sujet que la télévision française n'aime pas aborder : deux amis, un blanc, un noir, grandissent ensemble, puis la vie les sépare, l'un faisant l'expérience de la discrimination, l'autre ne la faisant pas.

Depuis une dizaine d'années, les rôles changent au cinéma, Omar Sy peut donc avoir un César – une récompense est symbolique – quelques actrices noires ou métisses ont des rôles avec contenu. En général, ces acteurs sont nés à la fin des années 1970.

Avant Omar Sy, il y a eu d'autres comédiens noirs d'origine africaine, notamment Isaac de Bankolé qui a fini par partir aux États-Unis, et Hubert Koundé. Ce dernier était dans le film de Mathieu Kassovitz, *La Haine*, aux côtés de Saïd Taghmaoui et Vincent Cassel. Hubert Koundé est le moins connu de la bande. Vincent, Hubert et Saïd ont tous trois été nommés aux César du meilleur espoir masculin. Les carrières de Mathieu et Vincent se sont envolées, tant en France qu'aux États-Unis. Mathieu et Vincent sont tous deux « fils de » et blancs, cela aide. Saïd, lui, a davantage travaillé aux États-Unis qu'en France, malgré ce qu'on a appelé « la vague beur ». Celui pour lequel ce fut plus lent et plus difficile, c'est Hubert Koundé, et comme par hasard, c'est celui qui est noir.

Mathieu Kassovitz avait auparavant réalisé un très joli film, inspiré par Spike Lee, *Métisse*, pour lequel j'avais passé le casting. Il avait écrit ce rôle pour sa petite copine de l'époque, et c'est un des aléas de ce métier, où l'on vous fait passer des castings alors que le rôle est déjà distribué. La jeune femme qui jouait aux côtés d'Hubert Koundé s'appelait Julie Mauduech. Elle était ravissante et bonne actrice. Mathieu Kassovitz

10. Oui, mais moi c'est pareil, je suis trop vieux, trop jeune, trop petit, trop grand...

jouait aussi. Pourquoi Julie Mauduech n'a-t-elle pas ensuite enchaîné les rôles comme toutes les jeunes filles blanches qui apparaissent à l'écran pour la première fois et qui, bien souvent, contrairement à elle, n'ont même pas pris de cours de théâtre ?

Ma génération, elle, a eu à faire des trous dans les murs pour créer des portes. Ainsi, les années 1990, celles de la chute du Mur, celles pourtant de la fameuse Coupe du monde black-blanc-beur, et les années 2000, ont été redoutables. Je ne compte plus la liste des fausses justifications pour ne pas engager de comédiens métis. Un cauchemar.

Les seules images noires féminines dataient des années 1980 avec Grace Jones et Whitney Houston. On me demandait de me couper court les cheveux comme Grace Jones. Je ne ressemble pas du tout à Grace Jones, on n'a pas la même couleur de peau, pas la même texture de cheveux. Je ne ressemble pas plus à Grace Jones qu'à Catherine Deneuve, en réalité. Mais voilà, métis, c'est noir. On nous supprime un parent. Comme si une couleur de peau suffisait pour ressembler à quelqu'un.

11

Tu veux bien faire l'esclave dans Antoine et Cléopâtre ?

Quand j'étais au Conservatoire, le livre de Jan Kott *Shakespeare notre contemporain* faisait fureur parmi les gens de théâtre. Je répétais une scène de la pièce de Farquhar, *La Ruse des galants* (1707), avec un camarade qui parlait beaucoup du livre de Jan Kott. Nous travaillions beaucoup alors et j'ai oublié ce livre. Je l'ai lu des années plus tard.

Au chapitre sur *Le Songe d'une nuit d'été*, Jan Kott écrit à propos de la reine des fées, Titania, qui va s'éprendre de l'idiot tisserand, Bottom (qui signifie « fesses »), qu'un elfe facétieux a transformé en âne :

« Je vois Tatiana sous les traits d'une très longue jeune fille toute plate, à la blondeur extrême, aux longues jambes et bras fins et étirés, semblables à l'une de ces Scandinaves à la chevelure presque blanche que j'ai rencontrées le soir, rue de la Harpe ou de la Huchette, marchant suspendues et comme collées à de jeunes

115

11. Tu veux bien faire l'esclave dans Antoine et Cléopâtre ?

Africains au visage gris ou d'un noir si sombre qu'il en paraissait bleu[55]. »

Jan Kott prend d'abord le soin de bien expliquer que tous les animaux cités dans *Le Songe* évoquent non pas le désir, mais « la lubricité », mot qui émet un jugement moral, associé à la luxure, un des sept péchés capitaux, et de préciser « […] certains d'entre eux jouent un rôle important dans la démonologie sexuelle ». Pour enfin ajouter : « Depuis l'Antiquité jusqu'à la Renaissance, on a toujours attribué à l'âne une exceptionnelle vigueur sexuelle et on lui a prêté le plus gros et le plus long des phallus de tous les quadrupèdes. »

J'étais stupéfaite en lisant. Si Jan Kott prend soin de dire que l'âne/noir n'est pas « bête » au sens de l'intelligence, il est néanmoins animal. Comme c'est original ! Le gros phallus des Noirs, la bestialité des Noirs.

L'imaginaire de Jan Kott est terrifiant tant sur les Noirs que sur les femmes. Nous retrouvons ce parallèle Noir/féminin. Gobineau[56] fera de « la race noire une race féminine », reprenant le *Tableau ethnographique du genre humain* de Victor Courtet de l'Isle où « les races féminines étaient des races naturellement débiles » et « celles masculines naturellement prépondérantes »[57], d'où se déduisait que les Métis « dégénéraient la race blanche ».

On aurait envie de rire devant tant bêtise, seulement voilà, ces gens étaient très dominants – Gobineau, par exemple,

---

55. Jan Kott, *Shakespeare, notre contemporain*, Paris, collection « Petite bibliothèque Payot », Payot, 2006 p. 245.
56. *In* Arthur de Gobineau, *Essai sur l'inégalité des races humaines, op. cit.*
57. Nelly Schmidt, *Histoire du métissage*, Paris, Éditions de La Martinière, 2003, p. 97.

Quel dommage que tu ne sois pas plus noire

était diplomate –, et ses théories ont été largement répandues jusqu'à laisser des traces fortes dans la pensée contemporaine. Son *Essai sur l'Inégalité des races humaines* est souvent rapproché de *Mein Kampf.* Il est édité aujourd'hui dans la Pléiade. Le site de la Pléiade écrit à propos de Gobineau : « Poète raté et critique déçu, il fait un étrange moraliste[58]. » Quelle délicatesse !

Titania, donc, est l'amante d'Oberon et la reine des fées. Elle est femme, avec des seins et des courbes. L'imaginer plate et longiligne, c'est la rendre adolescente et androgyne. Je note ce visage gris ou noir qui paraît bleu, couleurs du registre des contes et des représentations de la mort. Noir qui paraît bleu... Barbe-Bleue. Visage gris, visage mort, gris comme la cendre, visage de zombies.

La pièce se déroule dans la nuit, heures où zombies et vampires sortent. Tout le monde a vu *Thriller* de Michael Jackson.

L'imaginaire de Jan Kott sur les Scandinaves est très aryen (qu'il soit juif n'empêche pas cet imaginaire). On peut superposer à sa Titania l'une de ces jeunes filles des pays de l'Est dans le mannequinat, univers où les femmes sont androgynes. Nous avons donc une jeune personne aryenne, de sexe indéterminé et un Africain noir comme l'enfer avec un énorme phallus.

Le livre écrit en 1962 est réédité régulièrement – et mon édition date de 2006 –, sans que personne ne relève. Mon amie Federica, par exemple, pense encore que les Noirs ont des gros phallus. Un autre camarade pensait

58. http://www.la-pleiade.fr/Auteur/Arthur-de-Gobineau

11. Tu veux bien faire l'esclave dans Antoine et Cléopâtre ?

que les femmes noires avaient de grands vagins puisque les hommes noirs avaient des gros phallus.

Jan Kott est polonais. Apparemment, il n'aurait donc jamais vu de Noirs, et Paris le surprenait. Pourtant, la Vierge noire a été la figure protectrice de la Pologne depuis 1382, quand elle fut importée de Jérusalem. Au monastère de Czestochowa, se trouve une icône célèbre de la *Vierge noire à l'Enfant*. Ils ont tous deux la peau marron. On peut prétendre que leur couleur serait due aux fumées des bougies votives. Mais, alors pourquoi ce qui est doré sur le tableau est resté doré ? Le vert des manches de la robe de la Madone et le rouge du vêtement de l'enfant sont également restés lumineux. Cette Vierge vient du soleil, il semble normal que sa peau ne soit pas blanche[59].

La mise en perspective me fit réfléchir à cette époque où mes camarades ne se pensaient pas racistes et où nous l'étions, par héritage – et je me compte dans le « nous ». Personne n'a envie d'être noir quand noir est toujours le négatif de blanc.

C'étaient les années « Touche pas à mon pote », où celui qui allait manifester pouvait dans le même élan me proposer de jouer l'esclave dans *Antoine et Cléopâtre* quand je voulais jouer Cléopâtre. Michel Bouquet voulait que je joue Cléopâtre l'amoureuse qui confie à Charmion, sa suivante, ses craintes qu'Antoine l'oublie, là-bas, à Rome où il a dû retourner : « [...] Lui songer à moi, qui suis noire des pincements amoureux de Phœbus…[60] » En d'autres termes, il va m'oublier parce que je suis noire… *black* écrit Shakeaspeare.

---

59. http://www.polishamericancenter.org/Czestochowa.htm
60. « [...] *Think on me, that am with Phoebus'amorous pinches black.* »

Quel dommage que tu ne sois pas plus noire

Il y a ce que l'on croit être et il y a ce que nous sommes.

Bien sûr, on peut m'objecter que Cléopâtre descendait des Ptolémée, qu'elle était grecque, avec l'idée que grecque voudrait dire blanche. Ces Grecs dont nous avons hérité et dont on nous apprend très tôt la grandeur, le siècle d'or de Périclès, la philosophie, Socrate, Platon, l'Acropole, le Panthéon, l'Olympe, la démocratie, qui tout de même se limite au citoyen barbu, la rigueur de Sparte, la guerre de Troie...

Que Cléopâtre soit la dernière des Ptolémée laisserait penser qu'il y eût tout de même quelque métissage avec les Égyptiens, lesquels n'étaient alors ni blancs ni musulmans.

Si l'on écoute Strabon, le géographe et historien grec de l'époque, Cléopâtre serait la fille de Ptolémée et d'une concubine. Le père de Cléopâtre était lui-même un fils illégitime.

Un documentaire de la BBC (2009) révèle que la mère de Cléopâtre était « d'origine africaine ». Cléopâtre est métisse[61].

L'intuition de William Shakespeare au XVIe siècle était donc plus juste, sans Internet, sans datation au carbone 14, sans les écoles d'archéologie dont l'Angleterre et la France s'enorgueillissent, que celle des jeunes gens de l'époque « Touche pas à mon pote ». On peut penser que Shakespeare avait déjà une conscience du racisme. Des Noirs, il y en avait dans les cours d'Espagne, du Portugal, à Venise, à la cour d'Angleterre.

---

61. « Cleopatra's mother was African », BBC News, 16 mars 2009. http://news.bbc.co.uk/1/hi/also_in_the_news/7945333.stm

11. Tu veux bien faire l'esclave dans Antoine et Cléopâtre ?

Dans *Othello*, le Barde – surnom que donnent les Anglais à leur poète préféré – décrit un personnage noir devenu noble, après avoir été esclave. Willie s'inspire de ce qu'il voit et ce qu'il sait de l'histoire anglaise. Nous sommes en Angleterre, à l'époque élisabéthaine, l'esclavage anglais commence, la religion catholique n'est plus religion d'État. La perception du monde est en train de changer, Galilée a montré que la terre tournait autour du soleil. Shakespeare témoigne de son époque.

Antony and Cleopatra est jouée pour la première fois vers 1606-1608 et *Othello* en 1606, ce qui prouve la concomitance des deux pièces. Cela fait plus d'un siècle que l'Espagne et le Portugal colonisent et réduisent en esclavage, d'abord les Indiens, puis les Africains.

Shakespeare vient d'un monde chrétien qui vient de réformer son Église. L'empreinte de la Bible est forte. Dans le *Bishops' Bible* de 1568, bible en anglais et non plus en latin, la reine de Saba dit : « Je suis noire, mais je suis belle et désirable [...]. C'est le soleil qui a brillé sur moi[62] [...] ». C'est ainsi que Shakespeare fait dire à la reine d'Égypte : « [...] noire des pincements amoureux de Phœbus ». Le dieu Rê, dieu du Soleil, était un des dieux les plus importants du panthéon égyptien. Pour

_____

62. « *I am blacke (O ye daughters of Hierusalem) but yet fayre and well favoured [...]. The Sunne hath shined upon me [...].* » Au fil des siècles, de briller, le soleil finira par brûler en français et par écorcher en anglais. Dans la Bible dite « à la colombe », traduction Louis Segond (1910) (http://saintebible.com/lsg/songs/1.htm), la reine de Saba (Cantique des Cantiques, 1. 5-6) dit : « Je suis noire **mais** je suis belle [...]. C'est le soleil qui m'a brulée. » " Dans le texte d'origine en hébreu la première partie de la phrase (Ca. 1.5) est : « Je suis noire **et** je suis belle », sans opposition.

Shakespeare, la pharaonne n'est pas blanche et cela ne lui pose pas de problème.

Mais Shakespeare vit aussi dans une époque où la couleur noire est dévalorisée (la noirceur de l'âme, les ténèbres maléfiques, la magie noire...) La blancheur pure et la noirceur démoniaque sont des métaphores qui lui sont familières, (« Car je t'ai crue claire/juste et brillante/intelligente, toi qui est noire comme l'enfer, sombre comme la nuit[63]. ») Il s'en sert, de *Richard III* aux sorcières de *Macbeth*, de *La Tempête* au *Songe d'une nuit d'été* et bien sûr dans ses *Sonnets*.

En latin, « noir » se dit de deux façons, l'une négative, *atra*, qui donne « atrabilaire », et l'autre, positive, *niger*, qui veut dire « noir brillant », relié à la terre. Les pays Niger, Nigeria veulent dire « Noir brillant ». Ainsi que « nègre ».

La vraie Cléopâtre est née en Égypte, pourquoi diable penserait-elle que sa couleur de peau est un obstacle à l'amour d'Antoine ? À l'époque égyptienne, la couleur noire a la valeur positive de *niger*, elle est liée à la fertilité (noire des pincements amoureux).

Quand Cléopâtre doute d'être aimée parce que sa peau est « noire », Shakespeare christianise Cléopâtre. Il lui fait dire ce qui est en train de devenir vrai à Londres, à Madrid, à Lisbonne, à Paris. Nous sommes au XVIe siècle et la traite des Noirs commence pour remplacer les Indiens qu'on extermine. On fait dire à la Bible que la couleur noire est néfaste et que les hommes à la peau noire ont l'âme noire. Le christianisme va peu à peu exalter la couleur

---

63. Sonnet CXLVII : « *For I have sworn thee fair, and thought thee bright, Who art as black as hell, as dark as night.* »

11. Tu veux bien faire l'esclave dans Antoine et Cléopâtre ?

blanche, affirmer que le noir est le négatif du blanc et que seul l'esclavage peut éventuellement rédempter le Noir.

La mode au XVIe siècle pour les aristocrates anglais, en opposition au peuple qui travaille à l'extérieur, est de se blanchir la peau et, paradoxalement, de se friser les cheveux très serrés, comme en témoignent les nombreux portraits d'Elizabeth Ire. La mode ne change guère dans ces comportements qu'on soit au XVIe siècle ou aujourd'hui, elle importe, et d'où a-t-elle importé le khôl et les cheveux très frisés ? Shakespeare vit à la cour où les femmes se blanchissent à la céruse (mélange de plomb et de vinaigre) et s'exfolient au mercure. On imagine alors très bien une Cléopâtre à la peau caramel à la cour d'Angleterre, amoureuse d'un Antoine habitué au plomb et au vinaigre. Pas blanche, pas à la mode, il y a de quoi douter d'être désirable. Mais elle ne renie pas pour autant le soleil amoureux.

Et si l'on continue sur une vérité historique, alors autant dire qu'au temps des pharaons et de Cléopâtre les esclaves étaient blancs également. La couleur de peau, contrairement à ce qui se passera avec l'esclavagisme chrétien, n'avait rien à voir avec leur condition d'esclave. Ils étaient un butin de guerres et de conquêtes.

Pourtant, c'est bien à la seule fille métisse de la promotion à qui fut proposé le rôle de « celle qui ne dit rien », pas Charmion, la suivante, non, celui de l'esclave qui évente la reine avec une feuille de palmier. J'ai refusé, sans dire pourquoi, par peur, par honte. Et devinez quoi ? Le rôle fut proposé à l'autre Métis de la promotion !

L'élève qui me proposait d'être esclave, s'étonnait que « des Noirs entre eux s'appellent "nègres" », mais n'a pas voulu écouter ce que j'essayais d'expliquer, la trace de l'esclavage, l'inversion du stigmate... Ce que je pouvais lui apprendre ne l'intéressait pas.

Le même élève aimait dire que « de toute façon les Africains se mettaient eux-mêmes en esclavage avant l'arrivée des Européens », lesquels n'avaient fait que respecter la coutume. En somme, c'était par respect de l'autre que l'Europe avait pratiqué la traite. Le monde occidental n'a rien à se reprocher. On retrouve le méchant noir qui est responsable de ce qui lui arrive, comme Marwood, dignes descendants de Cham.

Comme l'être humain est un animal plein de contra-dictions, et qu'en dépit de cette apparence si perturbante, je suis un être humain, et que le jeune homme en question est craquant – les filles sont sensibles à la beauté des garçons, qu'on le sache ! – cela me fait d'autant plus mal. J'aurais préféré faire l'amour avec lui plutôt qu'essayer d'être pédagogue.

Donc, que ce soit contemporain à Cléopâtre ou que l'on plaque l'esclavage chrétien sur Shakespeare, le fait de distribuer les deux Métis de la promotion dans le rôle de l'esclave était pour le moins signe d'une grande ignorance de l'histoire, ce que je comprends puisque ni le Code noir ni l'esclavage afro-antillais ne nous ont été enseignés.

Qui avait lu Cheikh Anta Diop ? Moi-même je ne le connaissais pas. C'est l'auteur dramatique martiniquais Julius-Amadée Laou, qui m'en a parlé.

Si j'insiste tant sur les rôles, je le redis, c'est qu'il a fallu attendre les révoltes de 2005 pour qu'enfin quelque chose bouge, pour que, soudain, je me voie me laver les cheveux dans les publicités, pour qu'un acteur blanc ou

11. Tu veux bien faire l'esclave dans Antoine et Cléopâtre ?

une actrice blanche ait un enfant de ma couleur, pour l'on soit médecin, pour que l'on ait des vrais rôles.

Ayant perdu mon innocence à tout jamais, je sais que les progrès de l'humanité ne sont pas linéaires, et que l'histoire avance de deux pas, recule d'un, ou tourne en boucle, ou saute à cloche-pied.

Cent fois sur le métier... dit le dicton.

12

Les Noirs américains, eux,

ONT BEAUCOUP SOUFFERT ET SE SONT BATTUS

Nous sommes tous tellement peu clairs sur nos identités, et nous voudrions tous être clairs. Au sens propre comme au figuré. Nous sommes fragiles, et la tension est palpable dès que l'on aborde ce sujet. Non, les Antillais ne sont pas les seuls à être susceptibles. Goscinny le dit, les Gaulois sont susceptibles aussi !

Je discutais avec une jolie jeune femme, éduquée, pas heureuse dans son job d'ingénieure informatique, la trentaine tout au plus, les cheveux châtain foncé, les yeux noisette, de cette jolie couleur entre marron et vert, une peau où le Sud avait laissé l'empreinte de ses pincements amoureux. Nous venions de sortir du cours d'espagnol où la professeure avait demandé que chacun décrive une personne de la classe.

Julie, une longue jeune femme à la peau très claire et aux yeux marron, très foncés, m'avait décrite avec des yeux *marrones o negros*. Assises donc toutes les trois dans le métro, nous commentions les descriptions. Je fis la remarque à Julie que ses yeux étaient plus foncés que les miens. La conversation a dérivé et Louise, la jeune femme ingénieure, s'étonnait que des Noirs puissent avoir les yeux clairs – comme un de mes cousins du côté paternel qui avait des yeux vert émeraude dans un visage très foncé, ou mon arrière-grand-père paternel avec ses yeux bleus dont j'aurais bien aimé hériter, histoire d'être vraiment métisse, puisqu'il n'y en a que pour les yeux bleus dans notre culture française…

Louise avait du mal avec le choix des mots, comme souvent sur ces questions, mais était tout de même affirmative, comme souvent. Mon grand amour d'adolescence affirmait haut et fort que les Noirs ne pouvaient pas avoir les yeux bleus. Louise admit que c'était sûrement possible, mais tout de même rare, et que cela signifiait qu'il y avait eu… Elle ne trouvait pas ses mots. Quand j'ai dit très candidement que nous étions tous métis, elle s'est exclamée : « Ah non pas moi ! »

L'autre pan de ce genre de conversation, c'est Laure qui me dit : « Oh oui, moi aussi je suis métisse, j'ai des origines grecques, italiennes… »

Dans les deux cas, je suis annulée. Dans le premier cas, manifestement métis veut dire noir et l'idée qu'on soit soi-même un peu noir est une pilule difficile à avaler en raison de cet atavisme qui rejette le Noir loin de soi, l'impureté en dehors de soi. Pour peu qu'il y ait des secrets de famille, la question devient alors terrifiante. Et des secrets de famille, il y en a souvent, voire toujours. D'ailleurs, Louise me dira plus tard, avec une franchise touchante : « C'est drôle d'ailleurs, mes parents sont très blancs et mon frère et moi avons la peau mate. » Mais quand je redirai : « Tu vois bien que nous sommes tous métissés », elle rectifiera : « Oh si tu veux dire mélangés, oui mais… » Pas noirs !

Pour l'autre cas, il y a l'annulation de ma couleur, ce petit détail qui fait que ni grecque ni italienne ne sont perçues comme le produit du cheval et de l'ânesse.

Alors tu te contredis, m'objectera-t-on, et Louise a raison. Oui, Louise a raison de penser que métisse, dans le cas qui nous préoccupe, veut dire noir et blanc. Mais Louise a tort d'affirmer qu'elle n'est pas métissée.

Laure, italo-grecque, a aussi raison de dire qu'elle est métissée, non pas parce qu'elle n'est pas française « pure souche », mais parce que les Grecs et les Romains ont bâti des empires qui s'étiraient de la Méditerranée à l'Afrique jusqu'à l'Europe du Nord. En revanche, elle annule la différence de perception sociale entre elle et moi, la condition noire[64].

En résumé, son métissage est un plus, elle n'en est pas moins blanche, le mien serait un moins parce que je suis perçue comme noire. Elle ne le dit pas comme ça, mais la société l'interprète comme cela.

Je me souviens d'un rôle pour lequel une camarade noire avait été appelée. Elle nous expliquait en colère, le midi, à la cantine du tournage sur lequel nous étions alors, qu'elle ne voulait pas jouer la nounou de Jeanne Balibar. Comme elle avait souligné cet aspect du scénario à la réalisatrice, elle ne fut pas retenue. Il est très difficile de

---

64. Pap Ndiaye, *La Condition noire. Enquête sur une minorité française*, *op. cit.*

---

12. Les Noirs américains, eux, ont beaucoup souffert et se sont battus

dire à un ou une scénariste que quelque chose ne va pas dans sa perception des personnages noirs ou métis. Ils le prennent très mal et disent qu'on porte atteinte à leur liberté créatrice.

Quelques jours plus tard, le téléphone sonne chez moi et la réalisatrice me propose le rôle, m'expliquant que la comédienne pressentie avait refusé. Comme je connaissais l'histoire, c'était intéressant d'avoir l'autre point de vue. Je lis donc le scénario. Effectivement, il s'agissait d'être la nounou de Jeanne Balibar, qui avait le premier rôle. C'était l'histoire d'une famille de la diaspora espagnole en Afrique du Nord. Le personnage principal était une jeune femme perturbée, sensible, fragile. La nounou était forte, versée dans la sorcellerie, je crois, et évidemment consolatrice. L'image de Hattie McDaniel se profile et je comprends que ma camarade ait réagi avec virulence.

Les rôles de femmes noires sont souvent des personnages sans états d'âme, là où les femmes blanches ne sont qu'états d'âme. C'est bien sûr une vision héritée de l'esclavage.

Un amoureux m'a un jour dit que « les femmes noires étaient plus maternelles » : enfant il avait vécu dans les TOM, avec un père médecin coopérant et des nounous noires.

Aparté – J'ai répété cette phrase à l'une de mes tantes antillaises, une très jolie femme au visage coolie[65] – elle l'a prise pour un compliment. J'ai senti qu'elle prenait sa

---

65. « Coolie » est un terme qui désigne les descendants des Indiens venus d'Inde aux Antilles.

revanche. Cela m'a laissée perplexe qu'une catégorisation essentialiste soit intégrée et retournée en un sentiment de victoire. J'aurais préféré qu'elle soit en colère. Mais la colère fait mal.

Pour en revenir au rôle, je n'ai pas eu le temps de dire oui ou non, finalement une autre actrice a été choisie. Je n'étais pas assez noire ! J'aurais pu le dire d'emblée. Je ne suis jamais assez noire pour jouer les nounous et autres sans-papiers et je ne suis jamais assez blanche pour jouer autre chose. J'y perds des deux côtés parce qu'il faut gagner sa vie. J'étais à la fois soulagée de ne pas avoir à répondre et déçue de n'avoir pas eu l'occasion de rencontrer la réalisatrice.

Ma camarade de tournage était à vif. Elle me disait : « Tu comprends, nous, on doit toujours faire attention à l'image des Noirs que les rôles véhiculent, les Blancs n'ont pas ce problème-là ! »

Cela dit, j'ai entendu Jeanne Moreau dire qu'elle avait toujours fait attention que le rôle ne renvoie pas une mauvaise image des femmes. Encore une fois, noire et femme se superposent. Que dire quand on est les deux !

D'un autre côté, quand Laure me dit qu'elle aussi est métisse, parce qu'italo-grecque, elle peut aussi avoir envie d'être proche de moi, abattre ce mur paradoxalement invisible qu'est la *colour bar*[66].

Comme quand mon amie Christelle m'explique que les Bretons ont aussi été réduits en esclavage. Je fais « glurps » silencieusement, mais je comprends ce qu'elle me dit : nous sommes tous pareils, et tu es mon amie, d'où tu viens, j'en

---

66. La « barrière de couleur ».

12. Les Noirs américains, eux, ont beaucoup souffert et se sont battus

viens aussi. Nous avons tous été éduqués à croire ce rêve pieux, que nous serions universels, sans être ethnocentriques. Mais pour parvenir à l'universel, encore faut-il connaître l'histoire, encore faut-il, savoir, « ça voir ». Et curieusement, l'universalisme est plutôt aveugle que voyant.

Une amie attachée de presse me raconte un événement littéraire où un journaliste connu la regarde avec stupeur quand elle se présente et lui dit : « Attachée de presse ? Mais, mais… c'est qu'il y a une telle inadéquation entre la personne et la fonction ! »

Comme elle a le sens de la repartie, elle rétorque qu'il pensait sans doute qu'elle était femme de ménage ! Il s'est éloigné prétextant quelques personnes à saluer.

En me promenant dans le jardin du Luxembourg, je croise un petit garçon d'environ cinq ans qui s'exclame : « Celle-là est africaine ! »

Je lui réponds gentiment, bien qu'en réalité le dragon d'Ally McBeal lance à nouveau des flammes : « Non, tu demanderas à ton papa de t'expliquer. » Et son père de me répondre, croyant s'excuser : « Sa nounou est africaine. » Non seulement j'avais compris – à quoi servent donc les Noirs ! – mais en plus, j'avais aussi compris que le père paresseux avait expliqué à son fils que tous les gens marron étaient africains.

« Et pourquoi n'avez-vous pas une nounou blanche ? » Évidemment, il m'a pris pour une *angry black woman*[67], le stéréotype de la femme noire en colère au États-Unis, comme on dit chez nous d'une femme en colère qu'elle est hystérique.

On peut rien leur dire, ils sont susceptibles !

---

67. Une « femme noire en colère ».

Quel dommage que tu ne sois pas plus noire

Quand, étudiante, je travaillais l'été à la CRAM[68] de Rouen, une femme, pas méchante, rêvait d'avoir « une nounou noire ». Dans son rêve, l'ascension sociale incluait une nounou noire ! Elle avait vu *Autant en emporte le vent*, ce film qu'on nous repasse chaque Noël. Les Américains ont évolué depuis, ils ont fait d'autres films jusqu'à *Django* et *12 Years a Slave*, mais, chaque Noël, la télévision française diffuse *Autant en emporte le vent*. Et pas de John Berger pour replacer le film dans son contexte.

Une amie, qui fut manager d'une école de théâtre franco-américaine à Paris, me racontait que, pour la comédie musicale montée à Paris en 2003, aucune actrice française noire ou métisse ne voulait jouer le rôle de Hattie McDaniel, la nounou de Scarlett, ni même passer l'audition. La production ne semblait pas comprendre et avait conclu qu'il n'y avait pas de bonnes comédiennes noires… Si pour Hattie McDaniel, c'est un progrès d'avoir obtenu l'Oscar, aujourd'hui, il semble aberrant de vouloir encore monter *Autant en emporte le vent*.

Je me souviens d'une réflexion d'un oncle par alliance à son retour de coopération au Gabon : « Les Noirs sont paresseux », sans même réaliser qu'il était dans la maison d'un homme noir et buvait son vin. Pour lui, ce Noir-là, « ce n'était pas pareil ».

Ah ces « toi, c'est pas pareil ! » On blanchit, on noircit en fonction du degré de proximité. Plus on vous reconnaît, plus on vous accepte, et moins vous êtes noir. Noir c'est l'autre, le lointain, l'exotique et tous ses fantasmes. Je suis vaguement blanche quand on m'aime, vraiment noire

---

68. Caisse régionale d'assurance maladie.

12. Les Noirs américains, eux, ont beaucoup souffert et se sont battus

quand on ne m'aime pas. Un peu comme les parents qui disent « ta fille » ou « ma fille » selon que l'enfant est la bonne ou la mauvaise fille.

Pendant la canicule, une amie institutrice me raconte une remarque de sa directrice. Mon amie entre dans le bureau de la directrice :

— Il fait chaud chez toi ! Il te faudrait un ventilo.

— Oui, ou un petit noir.

Mon amie n'a pas compris tout de suite, ne voyant pas très bien le rapport avec un café. Et la directrice d'ajouter :

— Pour m'éventer !

On se demande tout de même comment une directrice d'école qui a la charge de former l'esprit des enfants peut sortir une pareille horreur. Ça laisse pantoise. Aux XVIIe et XVIIIe siècles, les dames de la cour avaient leurs petits négrillons comme on possède un caniche, ainsi que le décrit Mme de Montespan, dans ses *Mémoires* :

« J'ai déjà raconté comment les ambassadeurs d'un prince africain donnèrent à la reine, avec d'autres curiosités, un joli petit Maure destiné à son amusement intérieur. [...] Toutes les dames, à l'exemple de la reine, voulurent avoir des Maurillons pour les accompagner, faire ressortir ou valoir la blancheur de leur teint, et pour soutenir aussi dans les appartements la queue de leur manteau ou de leur robe. Voilà d'où vient que Mignard, Le Bourdon et les autres peintres de la haute sphère ont mis des négrillons dans tous leurs grands portraits : c'était une mode, une frénésie[69] ; [...] »

---

69. Françoise-Athénaïs de Rochechouart de Mortemart, marquise de Montespan, *Mémoires*, Paris, Mame et Delaunay-Vallée, 1829, *loc. cit.*, vol. 1, chap. XL, p. 241-242.

Ces a priori sont courants. Élevée à l'école de la République, il m'aura fallu être comédienne pour m'en rendre compte. Il m'aura fallu longtemps avant de comprendre que j'étais souvent soupçonnée d'être moins éduquée, moins cultivée que je ne l'étais. Rama Yade racontait qu'elle avait surpris des regards étonnés quand elle disait qu'elle parlait allemand couramment. Je parle anglais couramment, *fluently*, mieux que la plupart de mes camarades et pourtant, je n'ai jamais tourné en anglais. Quand un casting d'un film se faisait en anglais, jusqu'à il y a peu, les acteurs français choisis étaient forcément blancs. Il m'est arrivé de passer un casting pour une pub en anglais, c'est la première fois que je pouvais être un médecin.

Je me souviens que pour *The Queen* de Stephen Frears, il y a eu un casting en France pour les rôles des journalistes qui attendaient Diana devant le Ritz.

On m'appelle pour le rôle d'une journaliste américaine, et non britannique, alors que mon accent est plus britannique qu'américain. Des comédiens américains sur Paris, il y en beaucoup. Je demande s'il n'y a pas de journalistes français dans le scénario. « Si », me répond-on en toute candeur.

Pourtant *The Queen* est un film de 2006, donc le casting se passe en 2004-2005. Audrey Pulvar était sur France 3. Et de toute façon, il y avait des journalistes métisses sur RFO !

Je connais plusieurs Métis français qui parlent allemand couramment, comme l'une des petites nièces de Léopold Sédar Senghor, dont la mère est allemande, ou Éric Judor, la moitié du duo Éric et Ramzy, dont le père est guadeloupéen et la mère autrichienne. Il en parle dans sa série *Platane*.

12. Les Noirs américains, eux, ont beaucoup souffert et se sont battus

Aparté – À propos de *Platane*, je jouais le rôle de la directrice de fiction Arielle Saracco, qui dans la vraie vie est la directrice de fiction de Canal Plus. Quand Ramzy m'a vue, il a éclaté de rire en disant : « On y est pas encore ! »

Ce qui était joli, c'est que la nièce d'Arielle trouvait que je ressemblais à sa tante, car comme elle, j'étais souriante.

Je me souviens d'une directrice de casting m'expliquant, les larmes aux yeux, que « les Noirs américains, eux, avaient beaucoup souffert et s'étaient battus », alors que nous, les Noirs français, nous n'avions pas eu à nous battre.

Je me souviens d'un autre me disant qu'il fallait que je « fasse quelque chose pour mes cheveux, ils étaient trop frisés ». Ce avec quoi j'étais entièrement d'accord, à sa grande surprise, puisque nous sommes élevés à détester les cheveux frisés. Longtemps, je me suis défrisé les cheveux… jusqu'au jour où j'ai compris que je n'en serais pas plus blanche. Il me reste toujours le regret de ne pas avoir eu de beaux cheveux et je regarde avec envie toute métisse aux cheveux moins frisés.

Je dois saluer les coiffeuses et coiffeurs des tournages et pièces de théâtre, qui ont toujours été enthousiastes. Ils ont pansé les blessures d'une enfant qu'on comparait à un mouton. (Ça tombe bien, remarquez, puisqu'une chabine serait l'hybride de la chèvre et du bélier.)

13

Il n'y a pas de gens comme vous !

Je me souviens d'un film où la directrice de casting m'expliquait que c'était l'histoire d'une Martienne qui arrivait sur la Terre, mais qu'il « n'y avait pas de gens comme moi » dans le film ! Il pouvait y avoir une Martienne mais pas de Métisse ?

Je l'ai souvent entendu ce « Il n'y a pas de gens comme vous. »

J'ai rencontré Miloš Forman après qu'il a tourné *Valmont* à Paris. Au moment du casting de *Valmont*, l'adaptation des *Liaisons dangereuses*, j'avais tenté de le voir, là encore… « Il n'y a pas de gens comme vous. »

Comme il s'agit d'un film américain, j'étais à peu près sûre qu'il y aurait bien un peu de couleur autre que blanche dans ce XVIIIe siècle parisien où nous savons qu'il y avait des Noirs et des Métis libres. Quand le film est sorti, il y avait effectivement un petit rôle tenu par une comédienne noire. Une servante, ce n'était pas original certes, mais elle existait. Miloš Forman l'avait filmée en gros plan, lui donnant une réelle présence. Elle avait de la dignité.

John Malkovich a fait mieux. Dans sa mise en scène des *Liaisons dangereuses*[70], au théâtre de l'Atelier, il a distribué une comédienne métisse dans le rôle de la présidente de Tourvel, jouée par Michelle Pfeiffer dans le film de Stephen Frears, un rôle que j'aurais beaucoup aimé jouer.

Le cinéma américain fait un travail d'histoire que le cinéma français se refuse à faire, allez savoir pourquoi. Je ne pense pas que la France soit un pays plus raciste que les États-Unis – ni moins. Je pense, en revanche, que l'esclavage ayant eu lieu à 8 000 kilomètres de l'Hexagone, cela permet d'être dans le déni et de rester dans l'ignorance.

Pas de Métis sur le sol français donc, et pas plus dans les livres d'histoire... Et pourtant... Chercher, fouiller les bibliothèques, recouper les informations, regarder les tableaux et enquêter comme Amma Asante, la réalisatrice du film *Belle* (2013). Elle a regardé le tableau de Johan Zoffany[71], peint en 1779, où deux jeunes femmes, l'une blanche, l'autre métisse, sont trop proches, trop semblables, trop bien habillées toutes deux, pour qu'il s'agisse d'une servante et de sa maîtresse. Il s'agissait de Dido Elizabeth Belle, et de sa cousine Elizabeth Murray. Dido était la fille de Sir John Lindsay et d'une esclave. Élevée par l'oncle de son père, Lord Mansfield, juge éminent, elle reçut l'éducation d'une jeune fille de

70. Théâtre de l'Atelier, Paris, janvier 2012.
71. http://theartofilm.blogspot.fr/2014/06/the-dido-elizabeth-paint-ing-in-belle.html

la noblesse anglaise. Ce regard qui remet en question permet la création, permet la connaissance, permet de donner à la comédienne métisse, Gugu Mbatha-Raw, le rôle de Dido Elizabeth Belle.

Relire les livres d'histoire et remarquer leur blanchiment, ce *whitewashing* (« blanchiment à la chaux ») dont parle le journal *The Guardian* à propos de l'adaptation récente des *Trois mousquetaires* (2014)[72] pour BBC One.

Porthos est joué par un acteur métis, Howard Charles, qui ressemble à son créateur. On ne devrait pas être surpris. Si Dumas existe, pourquoi Porthos ne lui ressemblerait-il pas ? On m'objectera que Dumas est né au XIXe siècle, Porthos vit au XVIIe. *Les Trois mousquetaires* se déroulent sous Louis XIII. Justement ! Louis XIII est le petit-fils de Catherine de Médicis, fille de Laurent II de Médicis et demi-sœur d'Alexandre de Médicis, dit le Maure, parce qu'il était métis. Alexandre de Médicis était le fils d'une servante noire, Simonetta de Collevechio et, soit de Laurent II, soit de Jules de Médicis, futur pape Clément VII. Au fond, peu importe le père, le fait est que chez les Médicis, il y avait un Métis, duc de Florence au XVe siècle. Si jamais on doute du métissage d'Alexandre, là encore, il suffit de regarder les portraits.

Donc le duc de Lorenzaccio d'Alfred de Musset, si mythique avec Gérard Philipe dans le rôle-titre, repris par Francis Huster, aurait dû être joué par un acteur métis. Je n'ai jamais entendu un seul professeur, un

---

72. http://www.theguardian.com/tv-and-radio/shortcuts/2014/jan/28/bbc-cast-black-porthos-musketeers

13. Il n'y a pas de gens comme vous !

seul metteur en scène, dire : « Ce n'est pas *crédible* qu'Alexandre de Médicis soit joué par un acteur blanc. » Curieusement dans ce sens-là, c'est toujours crédible.

Les enfants d'Alexandre, Giulia et Giulio, sont quarterons, et ses descendants peuvent tous à un moment ou un autre ne pas être blancs. Ironie de l'histoire, Napoléon, mariera sa sœur Pauline à l'un d'entre eux.

Et qui sait qu'en 1879, il y eut un mulâtre président du conseil municipal de Paris, fonction à peu près équivalente à celle de maire, honorifique et très recherchée ?

Severiano de Heredia était d'origine cubaine, naturalisé français. Il était le cousin du poète parnassien José Maria de Heredia, dont j'ai étudié *Les Trophées* en classe de première. Dommage que l'on ne m'ait pas appris alors que le poète avait un cousin métis, qui fut président du conseil municipal de Paris et ministre de la Troisième République. Les deux cousins ne pouvaient pas être plus aux antipodes et il aurait été intéressant de mettre en parallèle l'action politique de Severiano avec les vers de José Maria de Heredia, dans *La Dogaresse* :

Indolente et superbe, une Dame, à l'écart,
Se tournant à demi dans un flot de brocart,
Sourit au négrillon qui lui porte la queue.

L'historien Paul Estrade déplorait en 2011 :

« Aujourd'hui, pas une rue, pas une salle, aucun lieu public ne porte son nom ; pas de portrait de lui, même pas à l'Hôtel de Ville qui collectionne, pourtant, portraits et statues de ses anciens maires ; pas de trace de son existence dans la Cité nationale de l'histoire de l'immigration, ni dans les ouvrages qui évoquent « ces Noirs qui ont fait la France », etc.[73] »

Cet oubli s'apparente au déni[74].

« Combien de temps faudra-t-il attendre encore pour que les Parisiens sachent qu'à la fin du XIXe siècle un président de leur conseil municipal, remplissant de fait les fonctions de maire de Paris, était un mulâtre, descendant par sa mère d'esclaves africains ? Qu'il fut même ministre ? Qu'il fut un pionnier dans le combat pour la laïcité qui devait aboutir à la séparation des Églises et de l'État ? Qu'il fut un battant de la République et de la démocratie ?[75] »

De même, en 1929, Raphaël Élizé est le premier maire martiniquais dans une commune de France, à Sablé-sur-Sarthe. Il était vétérinaire. Installé depuis 1919, avec sa femme Caroline, martiniquaise également, Raphaël Élizé fait construire une école, une pédiatrie, une maternité, une maison du peuple pour les syndicats, ainsi que la première piscine de l'ouest de la France pouvant accueillir des compétitions sportives. Il est réélu en 1935, puis mobilisé en 1939. À son retour, la commune est occupée par les Allemands qui refusent l'idée d'un maire noir. Le préfet le destitue[76]. Pourtant, il lisait le poète allemand Rilke dans le texte. Il entre dans la Résistance et le fait qu'il parle allemand est d'une grande aide. Mais son groupe est arrêté et il est

---

73. Paul Estrade, *Severiano de Heredia. Ce mulâtre cubain que Paris fit « maire », et la République, ministre*, Paris, Éditions Les Indes savantes, 2011.

74. C'est seulement depuis 2013 qu'il existe une rue Severiano de Heredia dans le XVIIe arrondissement de Paris.

75. Paul Estrade, *Severiano de Heredia*, op. cit.

76. Voir le documentaire de Philippe Baron, *Le Métis de la République*.

déporté à Buchenwald. Il meurt sous les bombardements des Alliés. Sa femme meurt peu de temps après.

Je me souviens d'un casting pour un rôle de commissaire de police où le réalisateur me dit : « Je ne sais pas si cela existe, une femme métisse commissaire. » Je me souviens que je ne comprenais pas ce qu'il voulait dire. J'existais bien moi. Pourquoi donc « ça » n'existerait-il pas ? Et quand bien même « ça » n'existerait pas, qu'est-ce que cela change ? Quand Dennis Haysbert joue le président des États-Unis dans la série *24 heures chrono*, Obama n'est pas encore élu à la Maison-Blanche. (Et quand Morgan Freeman joue Dieu...)

Il y a des Métisses dans toutes les professions, à tous les niveaux de la société, il y des Noires professeures de français, professeures de mathématiques, scientifiques, avocates, juges, magistrates... « Ça » existe.

L'histoire est orientée, orientable, effaçable, ainsi, fi des questionnements, des révoltes, des rebellions, des remises en question !

Il suffit de remarquer comme il est encore difficile aujourd'hui en France de dénoncer les crimes et le racisme de Napoléon. N'est-ce pas Max Gallo qui, le 4 décembre 2004, a tenu des propos sur l'esclavage qu'ailleurs on qualifierait de négationnistes :

« [...] Cette tache dans l'histoire, car c'est une tache réelle, est-ce que c'est un crime contre l'humanité ? Peut-être, je ne sais pas. Je crois qu'il [Napoléon, n.d.a.] a incarné en tout cas les valeurs révolutionnaires en dépit de tout ça...[77] »

---

77. Journal de 13 heures de France 3, samedi 4 décembre 2004 et cité par http://lmsi.net/Un-negationnisme-respectable

Quel dommage que tu ne sois pas plus noire

Comme il est difficile de tuer le père, et l'on sait pourtant à quel point c'est nécessaire. « En dépit de tout ça » n'est-il pas extraordinaire ?

L'absence de connaissances peut faire dire n'importe quoi, y compris à la science, surtout à la science ! Ces discours ont leur rémanence.

Nous ne cessons de dire pourtant que les représentations sont fondamentales dans l'éducation, nous ne cessons de parler d'imaginaire colonial, nous ne cessons de dénoncer l'empreinte de ces images sur nos projections. Nous pouvons chacun en faire l'expérience.

Un jour, j'achète à la poste un timbre de collection. La guichetière me tend un timbre de Félix Éboué et je découvre un visage d'homme noir. Quelle n'est pas ma surprise ! Pourtant, je connais la place Félix Éboué, et réflexion faite, Éboué sonne sans doute comme un nom africain, mais voilà, j'ai grandi dans un pays où tout ce qui n'est pas surligné ou souligné noir, est supposé blanc. Mon imaginaire est comme celui de tous, blanc. Et comme je n'ai pas fait d'études d'histoire ni de politique – sans doute suis-je optimiste quant au contenu universitaire – j'ignore que Félix Éboué, dont le nom m'est pourtant familier pour l'avoir vu inscrit sur une plaque de rue, est un homme noir, né à Cayenne, d'une famille tout juste libre par l'abolition de l'esclavage en 1848. Je demande à la postière si elle savait. Elle est tout aussi surprise que moi. Quel dommage ! Soudain, ma vue se colore et mes pensées aussi, je respire un peu mieux. La postière, blanche, qui a vu son ignorance dans mon ignorance, se sent gratifiée et découvre que son travail peut être instructif.

Aujourd'hui, nous connaissons le petit-fils de Félix Éboué, Fabrice Éboué, qui est métis et… humoriste.

Peut-être que si j'avais grandi en Martinique où est né mon père, je le saurais, ça et d'autres détails, comme le fait que l'auteur de mon livre d'enfance préféré soit né d'un père métis. Si l'on m'avait dit quand j'avais 12 ans qu'Alexandre Dumas était quarteron ! Comme j'aurais été heureuse, comme je me serais sentie moins seule ! Comme j'aurais pu à mon tour rétorquer à ces gens si sûrs d'eux qui prétendaient que « ce n'était pas crédible ». Mais je n'avais qu'un sentiment, qu'une intuition, qu'une logique à leur opposer.

Si mon père l'avait su, il nous l'aurait dit. Mais enfant, en Martinique, on lui apprenait que ses ancêtres étaient des Gaulois.

J'ignorais que Gaston Monnerville fût président du Sénat, pendant dix ans (1958-1968), sous de Gaulle, je n'avais jamais étudié Aimé Césaire, mais Rosa Parks – en cours d'anglais –, je n'ai jamais entendu parler de Cyrille Bissette, ou de Julien Raimond, mais de Martin Luther King – en cours d'anglais –, je n'avais jamais entendu parler du Code noir, avant les années 2000 !

Je n'avais jamais étudié l'esclavage aux Antilles en histoire, seulement en cours de français via Montesquieu, j'ai connu Schœlcher parce que c'est entre autres le nom de la bibliothèque de Fort-de-France à laquelle l'une de mes cousines devait rendre un livre – alors, pour ceux qui n'ont pas la chance d'avoir des cousines aux Antilles… savent-ils seulement qui est Schœlcher ?

Gaston Monnerville est un avocat, homme politique français né à Cayenne, petit-fils d'esclaves, de parents martiniquais. Il s'est engagé dans la Résistance.

Cyrille Bissette, né à la Martinique, dont il fut député, est l'un des grands artisans de l'abolition de l'esclavage.

Sa mère, Métisse, était la sœur illégitime de Joséphine de Beauharnais, ce qui en fait un cousin par alliance de Napoléon.

Quant à Césaire, c'est très récent qu'il soit dans le programme scolaire. Aimé Césaire est un poète, auteur de théâtre, écrivain et homme politique martiniquais, député et maire de Martinique. Il a œuvré à la départementalisation de l'île. Il a fait ses études au lycée Henri IV, à Paris. Avec les sœurs Nardal qui tenaient un salon littéraire, sa femme Suzanne, les poètes et écrivains Léopold Sédar Senghor et Léon-Gontran Damas, il a créé le mouvement de la négritude. Le mouvement de la négritude naît suite à un « sale nègre » auquel Aimé Césaire répond : « Le nègre t'emmerde ! »

Paulette Nardal est la première femme antillaise à étudier à la Sorbonne. Elle et ses sœurs tenaient un salon littéraire à Clamart où se retrouvaient les intellectuels et artistes noirs du monde entier. Elle créa *La Revue du monde noir* qui inspira Césaire, Senghor et les autres. Militante pour le droit des femmes, elle créa aussi le rassemblement féminin en 1945, pour inciter les Martiniquaises à voter. Elle était également musicienne, et s'intéressait aux traditions musicales des Antilles.

Julien Raimond est un mulâtre libre, fils d'un blanc qui – fait rare – a épousé une femme de couleur riche. Comme le fera Bissette quelques années après, Julien Raimond luttera contre le préjugé de couleur. Il était lui-même planteur et avait des esclaves mais néanmoins conscient de la politique coloniale et victime de la politique raciale. L'ordonnance de 1771 retirait aux hommes libres de couleur leurs droits politiques. Il rédigera et présentera un rapport devant la Constituante. Quand nous apprenons la Révolution française à l'école – et nous l'apprenons tous – il est incroyable que son nom ne soit pas cité. Quand j'ai appris la Révolution française, je n'ai jamais appris ce qui se passait dans les colonies alors.

Je n'ai pas étudié la géographie des Antilles, ni de ce qu'on appelait les DOM-TOM en général ; par contre la Bretagne et son plus haut taux d'alcoolisme en France, je l'ai appris. La géographie s'arrêtait à l'Hexagone. On ne m'a jamais parlé de la colonisation française, mais de l'esclavage aux États-Unis, oui. Je n'avais jamais entendu parler des lois en France métropolitaine sur les mariages mixtes et le métissage avant de produire mon émission sur le métissage.

On me dira que les choses ont changé, qu'aujourd'hui on enseigne la décolonisation – et non pas la colonisation. Seulement, c'est à l'appréciation du professeur, comme m'avait expliqué une professeure d'histoire. Une élève métisse, Charlotte, avait demandé pourquoi le 10 mai – journée commémorative du souvenir de l'esclavage et de son abolition en France métropolitaine – n'était pas abordé. Pas de réponse du professeur.

Qui sait que dans les DOM-TOM, les dates diffèrent d'une île à l'autre ? C'est Charlotte qui m'a appris, lors de mon émission sur le métissage, que chaque commémoration avait lieu le jour où l'esclavage avait été aboli dans l'île.

Aparté – J'ai entendu récemment qu'il était conseillé de parler d'« aventure coloniale », et non pas de « conquête coloniale ».

Dira-t-on à la petite fille métisse dont j'ai parlé plus haut, qui aujourd'hui joue Louis XIV, à elle et ses petits camarades, que Colbert, ministre du Roi-Soleil, si fameux pour ses manufactures, fut l'inventeur de ce code invraisemblable, monstrueux, qui régira la non-existence de ses ancêtres, et sera en vigueur presque deux siècles[78] ?

Aparté – Et que dire, quand je vois, sur un cahier d'histoire d'une élève de quatrième, la question : en quoi le Code noir protégeait-il les esclaves ?

Quand elle étudiera Montesquieu, *De l'esclavage des nègres*, comme nous l'avons tous plus ou moins étudié en classe de première, en soulignera-t-on les paradoxes ? Étudiera-t-elle la fin du chapitre où Montesquieu précise que si l'esclavage est mal, il l'est moins dans les pays où les hommes ont la peau noire et où il fait chaud ? « Il y a des pays où la chaleur énerve les corps et affaiblit si fort le courage que les hommes ne sont portés à un devoir pénible que par la crainte du châtiment : l'esclavage y choque donc moins la raison. »

Lorsque j'ai étudié ce fameux texte, mon professeur de première précisa que Montesquieu était actionnaire de la Compagnie des Indes, une des compagnie du commerce triangulaire, qui exportait des armes et de l'alcool en Afrique contre des Africains revendus comme esclaves sur les marchés du sud des États-Unis.

Ma réaction fut : alors que veut dire ce texte ? Mon professeur ne pouvait pas y répondre vraiment. Je crois bien avoir été la seule à relever ce curieux paradoxe. Comment un homme qui semble dénoncer l'esclavage contribue-t-il à sa pratique ? Je n'étais pas

---

78. « Le texte juridique le plus monstrueux qu'aient produits les temps modernes », *in* Louis Sala-Molins, *Le Code Noir ou le calvaire de Canaan*, op. cit.

13. Il n'y a pas de gens comme vous !

non plus satisfaite de ces syllogismes qui dénoncent les croyances de ceux qui pratiquent l'esclavage. Mon professeur d'histoire semblait trouver cela brillant. Je n'ai pas su dire, à 17 ans, que moi, je ne trouvais pas ça drôle du tout.

La phrase de Montesquieu rapportée plus haut n'était pas dans les textes au programme. Si cette phrase n'est qu'une concession pour éviter la censure, pourquoi était-elle, à son tour, censurée ?

Faut-il jeter Montesquieu aux orties avec ses camarades des Lumières, tous pour le moins tout aussi ambivalents, de Diderot à Voltaire, de Rousseau à d'Alembert, sur ces questions d'esclavage ? Bien sûr que non. Mais les encenser, parler de siècle des Lumières encore et encore, sans parler de ces « zones d'ombre »[79] participe à la négation de l'histoire.

Je me souviens d'une chanson de Bénabar – qui n'était pas tout à fait finie – lors d'un gala de bienfaisance. Il y regrettait ce siècle des Lumières, regrettait de ne jamais pouvoir découvrir l'Amérique comme Christophe Colomb…

Christophe Colomb, qui n'a d'ailleurs pas découvert l'Amérique a fait un véritable carnage dans ces régions avec le massacre des Indiens – dont on a gardé ce nom erroné – et des Karibs, préfigurant la ruine de l'Afrique puisque à la suite à ces massacres, l'Espagne, suivie des autres pays européens, ira chercher des esclaves en Afrique.

J'ai écrit une lettre à Bénabar, que j'ai déposée dans sa loge.

---

79. « Les ombres des Lumières » in *Le Code Noir ou le calvaire de Canaan* de Louis Sala-Molins (*op. cit.*).

Quel dommage que tu ne sois pas plus noire

Les océans sont pleins des cadavres de ceux qui se jetèrent à la mer[80], les cimetières d'esclaves sont recouverts des piscines des villages de vacances du Club Méditerranée aux Antilles[81], les femmes avortaient plutôt que de mettre au monde des enfants esclaves… sans parler des fers, des coups de fouet, des Métis que les planteurs montaient contre les « nègres », tout cela sous la lumière brillante de ce siècle dont on nous vante encore aujourd'hui l'extraordinaire clairvoyance !

Aparté – Les Africains ne sont pas plus robustes que les Indiens. Ils étaient plus nombreux – l'Afrique est un continent immense qui peut contenir la Chine, le Japon, l'Inde, les États-Unis et toute l'Europe.[82]

La sélection naturelle s'était faite au cours de la traversée, où les hommes mouraient en masse de maladie ou par suicide. De plus, les chefs africains s'arrangeaient pour vendre ceux qui leur étaient dangereux, ceux qui étaient plus forts. De là, on peut déduire que ceux qui arrivèrent à destination étaient plus robustes que tous ceux qui étaient morts ! Les Indiens survivants étaient aussi plus robustes que ceux qui étaient morts. Mais robuste ne signifie rien de l'état psychique.

Lui dira-t-on, à cette petite fille, que la mère du Roi-Soleil, Anne d'Autriche – oui, celle des *Trois mousquetaires* – parlait français avec un accent espagnol,

---

80. Voir le travail de l'artiste Jason deCaires Taylor, en particulier la sculpture sous-marine *Vissicitudes* (2007) :
http://www.underwatersculpture.com/sculptures/viccisitudes/
81. http://latelelibre.fr/emissions/jpl-en-camping-car/guadeloupe-la-piscine-dans-le-cimetiere-desclaves-tease4/
82. http://www.urbamedia.com/la-vraie-taille-de-lafrique

13. Il n'y a pas de gens comme vous !

qu'elle était elle-même mélangée d'Autriche et d'Espagne. Lui dira-t-on qu'à la cour d'Espagne, les esclaves étaient largement importés, et qu'on peut se douter des échanges sexuels avec cette nouveauté exotique comme à la cour de France aux XVIIe et XVIIIe siècles :

« Certes le noir continue de faire l'objet d'un fort tabou esthétique qui condamne sa laideur, mais ce préjugé se meut en tabou sexuel : noir étalon ou obscure maîtresse émoustille une société désœuvrée, en quête de jeux interdits et d'épices érotiques agaçant l'œil et les sens[83]. »

Lui dira-t-on que Louis XIII, le père de Louis XIV, était mélangé d'Italie et de Navarre et qu'en regardant les photos du Roi-Soleil, il y a quelque logique à ce qu'elle soit, elle, petite fille métisse, à la peau dorée, aux cheveux mousseux comme les perruques de roi, distribuée dans ce rôle.

Lui dira-t-on que ce Roi-Soleil aurait eu deux filles métisses, l'une appelée la Mauresse de Moret, l'autre Dorothée, dans le même temps qu'il faisait rédiger le Code noir, ce livre abominable et pervers qui interdira aux enfants métis de porter le nom de leur père ? Lui dira-t-on que Dorothée, signifie « cadeau de Dieu » ?

Je l'espère, j'espère que plus jamais, pour reprendre Lenny Bruce, elle n'entende cette phrase mortifère : « Il n'y a pas de gens comme vous. »

Lenny Bruce était un comédien de stand-up américain qui a dit : « Je répéterai nègre jusqu'à ce que plus jamais un enfant ne pleure dans une cour de récréation. » Dustin Hoffmann l'a joué dans Lenny (1974).

---

83. *Africultures*, n° 6, mars 1998, p. 25.

Quel dommage que tu ne sois pas plus noire

Nous avons tous appris la cour de Louis XIV, pourtant qui connaît l'histoire de la religieuse de Moret ? En faisant des recherches pour écrire ce livre, je déduisais que, l'Espagne et le Portugal ayant importé des esclaves noirs dans leurs cours, des enfants de Blancs et de Noirs avaient vraisemblablement dû naître ; de même que sous Louis XIV, où les Noirs étaient relativement nombreux et libres, avant qu'il ne leur interdise le sol français :

« Les Noirs étaient assez nombreux en France, et on en coudoyait assez pour qu'ils n'incitassent plus une curiosité particulière. Au seul congrès de Munster, d'Avaux était accompagnés par 140 nègres. À la fin du XVIIᵉ siècle, ils arrivaient en France par véritable chargement[84]. »

Mes recherches confirment mon intuition. Très vite, je découvre deux jeunes femmes métisses, l'une dite la Mauresque de Moret, religieuse au couvent des bénédictines de Moret, et l'autre appelée Dorothée, religieuse au couvent des ursulines à Orléans.

Que la religieuse de Moret soit la fille de Marie-Thérèse d'Autriche et de son page noir Nabo, qui disparut après sa naissance, ou qu'elle soit l'enfant de Louis et de Marie-Thérèse, ou la fille de Louis XIV et d'une femme noire, peu importe. Quand bien même elle ne serait l'enfant d'aucun des deux, le fait est qu'au XVIIᵉ siècle, il y avait des gens comme elle en France. La religieuse de Moret aurait été noircie sur les tableaux pour gommer sa ressemblance avec Marie-Thérèse ou avec Louis XIV.

---

84. Jules Michel Henry Marthorez, *Les étrangers en France sous l'Ancien Régime. Histoire de la formation de la population française*, Paris, Champion, 1919, p. 396.

13. Il n'y a pas de gens comme vous !

Dans tous les cas, c'est bien de blanchiment – oui ! – de l'histoire dont il s'agit.

Pour la petite histoire, trois siècles plus tard, je naîtrai non loin de Moret dont le blason porte tout de même une tête de Maure !

Qu'il y ait des doutes, donc, sur cette religieuse qui tout de même s'appelait sœur Louise-Marie de Sainte-Thérèse, il y a aussi Dorothée, autre fille métisse de Louis XIV, ursuline à Orléans. Les deux furent protégées par la Couronne, pensionnées et recevaient des visites de hauts personnages de l'entourage royal[85].

La mère de Dorothée aurait été une comédienne noire amenée en France par un comédien pour jouer les rôles de sauvage ! Le roi aimant beaucoup le théâtre, la danse, et les femmes... la suite s'écrit toute seule.

On peut aussi remarquer que tous les cheveux de ces gens étaient frisés, et on est en droit de poser la question : d'où venait cette mode ? Dans l'Antiquité romaine, vers 80 après J.-C., il y eut la coiffure dite « en nid d'abeille », laquelle ressemble en diable à ce qu'on appelle aujourd'hui... une afro ! Mais il est vrai que l'on ne doute pas du métissage quand il s'agit de la mode.

Pourquoi la télévision et le cinéma ne font-ils pas leurs recherches ? Pourquoi ne s'entourent-ils pas de gens capables de les y aider ? Pourquoi cette blancheur dans les films français, qui ne représente rien de la réalité de la France ?

---

85. http://archives.seine-et-marne.fr/louise-marie-therese-1675-1731

Nous ne retenons de l'histoire de l'humanité que ces quelques siècles ? Pourquoi ? À qui profite le crime ?

Tout ce lavage à l'eau de Javel a des conséquences sur nos vies. Nous sommes regardés dans un miroir déformant.

14

PROGNATHE COMME LES GENS DE VOTRE RACE

Je me souviens de ce chirurgien orthodontiste qui avait dit à mon père que, comme j'étais « prognathe comme les gens de ma race », il ne fallait pas remettre droit mes dents du haut qui avançaient comme chez toutes les personnes qui sucent leur pouce. Ce n'était en aucun cas génétique, ce dentiste pouvait voir la mâchoire de mon père qui n'avait rien de prognathe. Alors de quelle race s'agissait-il ? Et de quel droit décidait-il encore et encore que j'étais plus la fille de mon père que celle de ma mère, avec tous les préjugés qu'il y avait sur la couleur de mon père. Et qu'en savait-il de la prétendue race de mon père ?

J'étais mortifiée, assise sur le siège médical, je voyais bien le lien avec les marchés d'esclaves dont on examinait les dents.

Mon père n'a jamais compris pourquoi j'avais refusé de me lever le matin du rendez-vous préchirurgical. Nous n'en avons jamais parlé. Hélas.

Prognathe : « dont la mâchoire inférieure fait saillie par rapport à la mâchoire supérieure », dit le dictionnaire.

Il ne s'agit donc pas des dents du haut qui avancent, poussées par le pouce et la langue, ni même de la mâchoire du haut, mais au contraire, de celle du bas, « comme celle du singe », m'expliquera la mère pédiatre d'une amie, qui ne comprenait pas pourquoi ce dentiste spécialiste de la mâchoire m'avait trouvée prognathe, nom commun péjoratif. La comparaison perdure puisque la ministre de la Justice, Christiane Taubira, en a encore fait l'expérience.

Comment un homme qui avait ma mâchoire d'adolescente métisse sous les yeux, dont la spécialité était l'orthodontie, pouvait-il affirmer que :

1. Je ressemblais à une guenon.

2. J'appartenais à un peuple de singes.

3. Ce « peuple » ne serait pas le même que le sien.

En réalité, j'étais rétrognathe, c'est-à-dire que j'avais un menton trop petit et légèrement en arrière et j'ai dû être opérée pour que ma mâchoire inférieure soit avancée ! Cet homme ne m'a pas vue, ni vu mon père – lui-même scientifique, mais ça ne compte pas puisque noir – et a plaqué sur moi sa vision pleine de préjugés masqués par le vernis de son savoir scientifique. Ce chirurgien orthodontiste avait en 1981 une vision qui datait du XVIIIe siècle !

L'historien William Benjamin Cohen, dans son étude sur le regard des Blancs sur les Noirs, date la naissance de ce regard sur ma dentition du peintre Peter Camper en 1770 :

« Selon Camper, c'était le prognathisme qui distinguait le plus clairement le visage d'un Noir de celui d'un Blanc :

Quel dommage que tu ne sois pas plus noire

il était donc essentiel de le dessiner avec exactitude. Ce trait particulier rapprochait l'Africain de l'animal et Camper de préciser que s'il inclinait les lignes du visage vers l'avant, il obtenait une tête antique. Il ajouta que s'il les inclinait vers l'arrière, il traçait celle d'un Noir. En infléchissant plus encore l'angle facial, il aboutissait à la tête d'un singe, puis à celle d'un chien et enfin à celle d'un idiot. Le système de Camper, difficilement vérifiable, fut sévèrement critiqué par Blumenbach et les naturalistes anglais du XIXe siècle, tels que Lawrence et Prichard. Il fut cependant adopté sans la moindre réserve en France, et il devint, au XIXe siècle, le fondement de la pensée raciste française[86]. »

De 1770 à 1981, ce regard s'est perpétué, alors que la médecine en 1981 n'avait rien à voir – normalement – avec celle de 1770 !

Il faudra attendre plus de vingt ans, pour que je retourne chez une orthodontiste. Eh bien, le croirez-vous ?, l'orthodontiste reprendra à peu de choses près les mêmes propos. Je finirai par trouver une orthodontiste qui verra tout de suite que je suis métisse. C'est donc elle que j'ai choisie. Il se trouve que cette orthodontiste est elle-même d'une famille d'Afrique du Nord. Elle aussi était métisse, disait-elle, bien que paraissant blanche. Cela aura pris vingt ans ! Cela m'aura sans aucun doute fait perdre de la confiance en moi et beaucoup de temps.

Je peux aussi citer un gynécologue qui s'étonnait, la tête entre mes jambes, qu'à 16 ans je sois encore vierge. Parallèlement, la mère de ma meilleure amie

---

86. William B. Cohen, *Français et Africains. Les Noirs dans le regard des Blancs 1530-1880*, Paris, collection « Bibliothèque des histoires », Gallimard, 1981.

14. Prognathe comme les gens de votre race

d'adolescence avait déclaré que j'étais… impure. Nous y revoilà ! Et une amie à qui la gynécologue faisait mal et qui s'est entendue dire « mais je croyais que les femmes comme vous avaient de grands vagins ».

Ou encore, cette autre amie qui doit être opérée, à qui le médecin explique que, d'ordinaire, les populations surveillées pour cette maladie sont les personnes d'origine africaine, et ajoute : « Donc normalement vous n'étiez pas à risque. » Ce à quoi elle répond : « Qu'en savez-vous ? » Car en réalité, elle sait qu'il y a, dans ses origines normandes, des Turcs et des Antillais. Elle sait qu'en Normandie, au XVIIIe siècle, il y avait une communauté antillaise dont les cheveux frisés de sa grand-mère et d'autres membres de sa famille témoignent, et dont ses cheveux portent encore la trace dans leur ondulation.

Et encore, cette autre amie, de mère allemande, et de père berbère, dont le visage mat est constellé de taches de rousseur et pourtant, aucun médecin ne semble faire le lien entre la rousseur de sa mère, ses taches de rousseur à elle et le fait qu'elle soit allergique au soleil ! Il faudra une biopsie pour qu'enfin la science admette qu'elle a les gènes d'une rousse, comme pourtant sa peau claire et la présence de sa mère pouvaient à vue d'œil en témoigner !

L'aire de la vision, apprenais-je en classe de première, est un mélange d'inné et d'acquis. On apprend à voir.

Et l'on s'étonne de la décrédibilisation de la parole du Blanc en Afrique du Sud, pour le sida, par exemple. On oublie que dans ce pays, des scientifiques blancs se penchaient sur un bébé trouvé, pourtant blanc, pour

Quel dommage que tu ne sois pas plus noire

savoir s'il n'était pas noir ! Je me souviens d'entendre et de voir cela au journal télévisé sans comprendre.

J'ai un esprit scientifique, j'ai beaucoup aimé les maths, j'aime la science, les langues, l'histoire, j'aimais les études, toutes ces matières qui devraient permettre de penser plus grand, de voir plus loin. Pourtant, je reste toujours surprise de ce constat qui pourrait être une lapalissade pour certains, mais qui me désole : les études n'effacent pas le préjugé quand elles le devraient. Elles n'empêchent pas cette altération de la pensée et cette distorsion du regard. L'empreinte des siècles passés est tenace, d'autant qu'elle est peu déconstruite.

Le blanchiment de l'histoire, l'invention des races sont plus forts que six ans d'études dentaires, ou onze ans de médecine spécialisée, plus forts que les siècles qui ont précédé l'esclavage et la colonisation.

Au contraire, le préjugé est comme la paranoïa, il trouve des prétextes partout, et ce qui devrait l'infirmer bien souvent le conforte.

15
Vous avez des voix spéciales

En février 2007, je travaillais dans un studio de doublage sur des ambiances. Il s'agissait de doubler en français le pilote – c'est-à-dire l'épisode zéro – d'une future série qui se déroulait dans les milieux télévisuels américains, avec Matthew Perry en vedette, le Chandler de la série *Friends*.

Comment se déroule un doublage ? Il s'agit de jouer la traduction tout en la lisant sur la bande rythmo, c'est-à-dire, le texte écrit sur une bande qui défile sous l'image. Il arrive que les traductions soient approximatives. Je me souviens d'une traduction où il était question de certains pouvoirs « tracteurs » (*sic*), traduction d'*attractive* (« séduisant », « attirant »). Très souvent, elles sont édulcorées, comme dans les séries *Ally McBeal* ou *Sex and the City*, d'où toutes les allusions sexuelles et gros mots sont expurgés. Je n'ai toujours pas compris pourquoi les chaînes de télévision françaises sont si réticentes au langage de ces séries qu'elles achètent. D'autant que les médias français se hâtent de fustiger le soi-disant puritanisme américain. Souvent, dans les adaptations de l'anglais vers le français, le sens perd en subtilité.

Par exemple, le personnage joué par l'Anglaise Alex Kingston, dans *Urgences*, perd sa dimension britannique et tout ce qui est du rapport à la langue et à la culture anglaises, en opposition à celles américaines, disparaît.

Ou encore, le travail vocal de David Suchet dans le rôle d'Hercule Poirot est effacé par la voix comique du doubleur, habitué au dessin animé, et par l'absence étonnante d'accent belge ! Poirot étant belge – et Dieu sait qu'il insiste sur le fait de ne pas être français ! –, je n'ai jamais compris qu'il soit doublé avec un accent français.

Les comédiens dits « de doublage », sont d'abord des comédiens tout court, qui souvent souffrent de ne pas avoir davantage de visibilité. Il y a dans le doublage le même star-system qu'à l'image, et, sans doute, une violence encore plus grande du fait de la frustration de l'anonymat.

Une toute petite minorité, souvent des « familles », se partage les rôles et gagne énormément d'argent. Les premiers rôles et les rôles récurrents des séries sont attribués aux mêmes, d'où le fait d'entendre toujours les mêmes voix quels que soient les personnages et les acteurs. Certains acteurs américains ont leurs voix attitrées.

Le reste du troupeau est relégué à ce qu'on appelle « les ambiances » et les petits rôles. Il est très difficile de progresser si l'on n'appartient pas à la « famille » ou si l'on n'est pas un people.

Une « ambiance », c'est la scène au restaurant ou dans un autre endroit public, avec un fond sonore qu'il faut reproduire et des petits rôles qui disent une phrase

Quel dommage que tu ne sois pas plus noire

ou deux. Ça n'a rien de compliqué, ça peut même être amusant, mais c'est souvent ennuyeux d'avoir à crier, rire ou parler à plusieurs et de ne pas avoir un vrai rôle à jouer, pas de continuité. Cependant, c'est relativement bien payé, alors une foule de non-comédiens se pressent sur les lieux de doublage et viennent grossir les rangs de l'intermittence.

On est choisi à la résistance et à la constance de sa présence ; les CV importent peu.

Le directeur ou la directrice artistique est celui ou celle qui a la charge de diriger les comédiens pour le doublage. Peu parlent anglais, alors que 80 % des doublages sont des films ou séries américaines. Certains directeurs peuvent être très humiliants et craignent les studios américains, les chaînes de télé acheteuses qui viennent parfois sur le plateau (le lieu où l'on travaille en cinéma ou au théâtre).

Il y a dans le doublage, une croyance sur la voix des Noirs et une pratique discriminante. Très souvent, les Blancs doublent des Noirs, et très peu souvent la réciproque est vraie. Certains comédiens noirs ont des rôles importants qui doublent des acteurs noirs américains.

On entend dans les couloirs une certaine comédienne dire qu'elle a « une voix de Black ». Le préjugé est encaissé par tous les comédiens noirs et métis. Cependant, je n'ai entendu personne le dénoncer à haute voix. C'est une discussion récurrente à l'écart des Blancs. Le doublage est un lieu de peur. Il faut comprendre que les comédiens d'ambiance luttent pour travailler. La solidarité ne se fait pas le long de la ligne de couleur, mais, comme ailleurs dans la société, sur des critères d'intérêt.

Il se peut qu'un directeur artistique vous appelle, pour rire, « la négresse ». Si vous réagissez, vous risquez de ne plus travailler.

Dans l'ensemble, une méfiance existe envers le talent des Noirs ou des Métis et l'on sent bien que l'on est davantage testé et davantage remis en question que les Blancs. Comme tout cela est de l'ordre du ressenti, même s'il est majoritaire chez les Noirs et les Métis, l'absence de preuve rend difficile la dénonciation du préjugé.

Les comédiens blancs semblent aveugles à la différence de traitement. Ils ne voient pas qu'ils peuvent aisément être distribués dans un personnage noir quand leur camarade noir ne le sera pas dans un blanc. Ils ne voient pas qu'ils ont davantage de rôles, ils ne voient pas qu'ils sont moins remis en question.

Plus qu'ailleurs, on y entend qu'il n'y a pas de bons comédiens noirs, et que c'est pour cela que les comédiens blancs se doivent de doubler les acteurs noirs. Je ne connais qu'une seule directrice artistique métisse.

Que ce soit sur une série comme *My Wife and Kids* qui, dans l'héritage du Cosby Show, est une série sur une famille noire, ou que ce soit sur *The Barber Shop*, une série où les rôles sont aussi majoritairement noirs, la très grande majorité des rôles principaux est doublée par des comédiens blancs. Inutile de préciser que la majeure partie des rôles joués par des Blancs sera doublée par des comédiens blancs. Ainsi, pour les séries où il n'y a pas ou très peu de comédiens noirs à l'écran, comme les « Agatha Christie » par exemple, il n'y aura, la plupart du temps, aucun comédien noir ou métis sur le plateau.

Tout le monde est responsable de cette situation, des filiales françaises des grandes boîtes américaines aux chaînes de télévision françaises, des directeurs artistiques aux comédiens. On en arrive à des choses absurdes comme de prendre une prétendue voix de Noir quand on est blanc (oui !), ou encore mettre un accent antillais sur une actrice noire américaine, mais pas d'accent belge pour Poirot !

Le fait que les directeurs artistiques ne parlent pas anglais est un handicap. Ils n'entendent pas que les Anglais et les Américains ont tous des accents. Certains acteurs noirs ont des accents, tout comme certains acteurs blancs. Ces accents, qui sont culturels, peuvent comme d'autres éléments se superposer à l'ethnique, parce que les Noirs sont relégués, ici à Harlem, là en banlieue parisienne. Un Blanc dans le même contexte parle de la même façon. Il ne s'agit pas d'une voix de couleur, mais d'une couleur de voix. Mais le doublage n'entend que « la voix des Noirs » qui n'est même pas un accent, juste un supposé timbre de voix.

La voix est culturelle, les cordes vocales sont des muscles, c'est en cela que bien souvent les hommes ou les femmes d'une même famille peuvent avoir des voix proches. Une famille peut être une région, un statut social, un pays, une époque. Nous ne parlons plus le français comme on l'entend dans les films en noir et blanc, ou dans les actualités des années 1960, qui ne sont pourtant pas si loin de nous. Non seulement nous n'avons plus le même usage des mots, des tournures de phrases, mais nous n'avons plus tout à fait la même tessiture, tout comme nous n'avons plus la même taille, ni le même poids.

15. Vous avez des voix spéciales

Le 16 février 2007, je suis donc sur le plateau pour une journée d'ambiance. Nous devons être une petite douzaine de comédiens.

Lors de cette séance de doublage, la directrice était mal à l'aise quand je me suis proposée pour un petit rôle blanc. Il ne s'agissait que d'une phrase. Elle était hésitante, mais toutes les comédiennes blanches étaient en pause. Je savais, par habitude, ce qui la rendait nerveuse. J'ai pris d'assaut la barre de doublage (celle devant laquelle on se met, à bonne distance du micro et de l'écran). Et j'ai dit ma phrase, et voilà. Je peux quand même dire une phrase que personne n'entendra, noyée dans une discussion, sans que l'on me soupçonne de ne pas parler français comme un Français blanc, comme si tous les Français blancs parlaient le même français. De même que la vue est un apprentissage, l'oreille l'est aussi. Cette directrice m'avait sous ses yeux, dans son oreille. Je lui parlais, elle entendait donc ma voix qui, paraît-il, ressemble à celle de Fanny Ardant, comme l'écrira un journaliste un an plus tard[87]. Mais le soupçon porté sur les comédiens noirs était plus fort. Peut-être que Fanny Ardant a des ancêtres noirs.

Vers la fin de la journée, la directrice artistique demande si nous sommes libres la semaine suivante pour le prochain épisode. La plupart d'entre nous le sont. J'ai oublié de préciser que nous ne sommes que deux à ne pas être blancs. Je vois la directrice artistique jeter un regard de côté sur A…, puis sur moi. Elle semble ennuyée, mais ne dit rien. Je note la date dans mon agenda. Elle

---

87. *Le Nouvel Observateur*, 14 février 2008.

Quel dommage que tu ne sois pas plus noire

libère la plupart des comédiens et ne garde qu'une petite moitié, dont A… et moi. Nous finissons le film. Juste avant que nous partions, elle s'adresse à nous deux :

— Je ne sais pas s'il y a des gens comme vous dans le prochain épisode, et comme vous avez des voix spéciales, je ne peux pas vous faire doubler tout le monde.

Je suis sous le choc. C'est difficile de trouver les mots pour décrire ce que j'ai ressenti et ressens encore en écrivant. Mon cerveau s'est brouillé. Tout ce que j'aurais pu dire, c'est :

— De quoi tu parles, ma mère est blanche !

Mais comme A… ne pouvait dire cela, je me suis tue. Je me sentais coupable d'avoir une mère blanche. J'avais peur qu'on me reproche de laisser tomber les Noirs.

Plus tôt dans la journée, au moment de son trouble quand je me suis imposée à la barre, je lui avais dit que A… avait des enfants finlandais et que lui-même parlait finnois. « Oh, mais ses enfants ne sont pas aussi beaux que les miens ! » avait été sa réaction.

Je voulais qu'elle entende qu'un Noir parlait finnois, elle qui ne parlait même pas la langue dont elle était censée diriger le doublage. Je me souviens d'avoir corrigé une traduction. Tout cela ne changeait rien au manque de confiance en nos talents. Nous étions surveillés plus que les autres.

Je n'ai donc rien dit, la tête bourdonnante comme si quelqu'un venait de me frapper violemment. Je me sentais honteuse, sale. A… a tenté de dire qu'il pouvait très bien doubler des Blancs. Elle a marmonné un vague « oui, oui », tout en me désignant comme pour dire que là n'était pas le problème, et a balayé d'un geste toute tentative de réponse. Où était le problème alors ? Dans le fait que des Noirs et des Métis doublent des Blancs, même si l'on admettait qu'ils n'avaient pas de « voix de Noirs » ? Ils prendraient le travail des Blancs ?

Trois ou quatre comédiens blancs assistaient à la scène. Ils n'ont rien dit. Aucun ne s'est levé pour dire :

« Écoute, ce n'est pas juste, si nous on revient, Yasmine et A... doivent revenir. Nous doublons bien les Noirs – comme c'était encore arrivé dans la journée –, donc ils peuvent bien doubler les Blancs. »

Ils ont entendu les paroles de la directrice artistique, ils ont entendu la réponse de A..., ils ont commencé à se préparer à sortir, puis sont partis sans avoir l'air de trouver la situation anormale.

J'étais assommée. De quoi était faite leur non-réaction ? D'inertie ? De lâcheté ? D'indifférence ? D'égoïsme ? De préjugés ? De peur ?

Ces mêmes comédiens qui peuvent doubler des films qui parlent du racisme et être bouleversés par ce qu'ils voient à l'écran.

Nous marchons A... et moi en silence dans les rues de Levallois. Chacun est la honte de l'autre. Je finis par dire qu'il ne faut pas laisser passer cela. A... acquiesce, mais je sens qu'il se met à distance. Je me revois marcher sur la route et A... sur le trottoir, avec le sentiment d'un océan entre nous.

Rentrée chez moi, j'appelle plusieurs amies, l'une me parle de la Halde, la Haute Autorité de lutte contre les discriminations et pour l'égalité, qui vient d'être créée. J'en parle à A... qui est d'accord pour écrire une lettre, mais au moment de la signer, il disparaît. Vouloir oublier un événement douloureux est une tactique de protection. Mais je n'y arrive pas. Je suis profondément abattue et en colère. Je ne peux plus ne pas réagir.

J'appelle la directrice artistique et laisse un message sur son répondeur. Je ne prononce pas les mots de racisme, ni de discrimination, je lui explique seulement ce que nous avons ressenti. Je parle des chanteurs, des voix irlandaises, italiennes... Je lui explique, pédagogue, qu'une voix est culturelle et qu'il faudrait que le doublage arrête de parler de « voix de Noirs » comme si tous les Noirs venaient d'un pays commun. Je ne suis pas agressive, mais blessée. Le message que je recevrai en retour sera menaçant.

A... m'en veut d'avoir appelé. J'essaie en vain de lui expliquer que je voulais dialoguer avant d'écrire à la Halde. Il me traitera de folle, il perdra pied. J'écris à la Halde et je signe seule.

Quelques mois plus tard, la Halde m'appelle et m'apprend que A... a prétendu ne pas être au courant de la lettre. La commission refuse d'instruire le dossier. J'éclate en sanglots.

Mon amie Anne, dont j'adore dire qu'elle a fait Sciences-Po, a l'idée de constituer un dossier qui montre l'iniquité des distributions dans le doublage. Nous faisons beaucoup de recherches sur Internet, regroupant des interviews de comédiens noirs, métis qui montrent qu'une forte majorité de comédiens noirs et blancs américains sont doublés par des comédiens blancs français. Nous écrivons partout pour trouver de l'aide, jusqu'au président de la République.

Par hasard, nous sommes en contact avec le CRAN. Jamais je n'aurais pensé devoir un jour solliciter le soutien du CRAN. J'étais contre cette association. Mais ce sont les premiers à m'avoir aidée en me trouvant une tribune, l'émission *Toutes les France*.

Je me souviens d'avoir le contact d'un membre du Haut Comité pour l'intégration (*sic*) et je me tourne vers lui puisque la Halde rejette le dossier. Blandine Kriegel, alors présidente du HCI, est profondément choquée par la discrimination, ne comprend pas que je me retrouve au HCI dont le champ d'action concerne les résidents étrangers ou d'origine étrangère, confirme que ce sujet relève bien de la Halde, et, avec l'avocat du HCI, Blaise Tchikaya, intervient pour que la Halde fasse son travail.

Parallèlement, nous cherchons un journaliste qui accepte de prendre le sujet. J'avais encore la télévision et l'émission *C'est dans l'air* était en fond sonore dans le salon, pendant que j'étais dans la cuisine. Le débat porte sur l'affaire Colonna. J'entends un journaliste dont les propos m'interpellent. Je le trouve intéressant et je reviens dans le salon pour voir qui il est. Je découvre qu'il s'agit d'Olivier Toscer, journaliste à *L'Obs*. Je lui écris.

Nous nous rencontrons. Il hésite : il est métis et ne veut pas être accusé de communautarisme. J'y avais pensé. Les Métis ont toujours peur d'être enfermés. J'ai moi-même hésité en voyant qu'il était métis (ô ironie, que n'ai-je entendu qu'il avait une voix spéciale !). Il me parle d'un collègue qui, au contraire de lui, s'empare des sujets qui le concernent au plus près. Je comprends ses scrupules, mais je trouve dommage qu'il s'interdise un sujet. Il réfléchit et décide de tester l'intérêt du sujet.

Il le présente en conférence de rédaction de manière plutôt légère : « Tiens un truc rigolo... », et le journal accepte.

Son article sortira le 14 février 2008, pratiquement un an jour pour jour après les faits. Dans le même temps, j'écrirai un témoignage sur Rue89 et la réaction des internautes sera fantastique.

L'article fera boule de neige. Notre dossier sera repris plus tard par les journaux, les émissions de télévision et de radio.

Mon téléphone n'arrêtera plus de sonner. Je donnerai plusieurs interviews. Je découvrirai aussi que des comédiens noirs qui se plaignaient de cette situation se retournent contre moi. Je deviens *persona non grata*.

Je me souviens d'un très gentil message de Virginie Despentes sur mon MySpace. Je n'allais pas bien et je ne suis pas sûre d'avoir su lui dire merci à ce moment-là.

Au fil des rencontres, grâce au Club Averroès, qui reprend aussi notre dossier, je donne un concert à l'ambassade des États-Unis. La série qui m'a valu d'être discriminée étant américaine, comme la majeure partie des films et séries de doublage, je raconte mon histoire à l'ambassadeur des États-Unis qui me promet d'en parler à Warner France. Il m'explique qu'aux États-Unis, il y aurait condamnation. Il lui semblait qu'en France, les lois allaient dans le même sens.

Je reçois des messages malveillants sur Internet. Un soir, mon portable sonne à minuit, deux fois. Je ne décroche pas. Un acteur et directeur de casting de doublage menace de me casser la gueule avec « 50 comédiens » si je « n'arrête pas de faire chier ».

Il m'aura fallu un an avant de trouver des alliés, avant que les journaux s'emparent de l'affaire[88], que la Halde ré-ouvre le dossier et convoque A... et la directrice de casting, laquelle niera.

Heureusement que j'ai un SMS de A... sur mon mobile, qui atteste de son accord pour la lettre.

La Halde me propose « une médiation », procédure qui, d'après le chargé du dossier, me permettrait de « m'exprimer » devant la directrice de plateau et la société de doublage. Or, je me suis déjà « exprimée » : j'avais commencé par appeler la directrice de plateau, puis j'avais écrit à la société de doublage. Ce que nous demandions juste : c'est notre journée de travail, des excuses de la directrice de plateau, et que cela soit dit publiquement que « les Noirs n'ont pas des voix de Noirs ». Rien d'autre.

Il insiste sur l'aspect « pédagogique ». J'avais commencé par être pédagogue. En vain. Je suis pédagogue depuis mon enfance. Je n'en peux plus.

Cette procédure aurait mis fin, en catimini, à l'instruction du dossier, la meilleure chose à faire pour que rien ne change.

Alors, s'appuyant sur notre dossier, la Halde a fini par reconnaître l'existence d'une pratique discriminatoire généralisée dans le doublage. La société de doublage et sa directrice de plateau ont reçu un rappel à la loi et la Halde a préconisé des recommandations, c'est-à-dire former les gens à la diversité ! Et c'est tout. Aucun suivi

---

88.   http://rue89.nouvelobs.com/2008/04/05/cinema-le-metier-du-doublage-a-un-probleme-avec-la-couleur, 5 avril 2008.

véritable et surtout aucune sanction. Sauf pour moi, qui me suis retrouvée boycottée.

Les comédiens noirs et métis étaient ambivalents. D'un côté, ils avaient tous fait l'expérience de la discrimination, de l'autre, le déni est parfois plus confortable. C'est un métier difficile où le travail dépend du relationnel plus que tout. Le pouvoir est blanc, on ne peut pas se fâcher avec lui.

L'absence de solidarité revient souvent dans la bouche de comédiens métis et noirs. J'en connais plusieurs qui ont vécu des expériences similaires et restent avec l'amertume d'avoir été seuls, souvent critiqués.

« Tu crois qu'il n'y a qu'à toi que c'est arrivé ? »

Ce sujet est trop douloureux, ils ne veulent plus, ne peuvent plus en parler.

Pour d'autres, la peur est trop grande.

Et enfin, quelle que soit la couleur de peau, celui ou celle qui agit met en défaut celui ou celle qui n'agit pas.

« C'est pas comme ça qu'il fallait faire… »

On m'a reproché d'être métisse aussi. Bien sûr. Toujours en équilibre sur un fil à tenter de ne pas tomber.

Jamais autant que dans le doublage, je n'ai ressenti le monde scindé en deux selon la ligne de couleur. Je n'aurais jamais cru que cela ait pu m'arriver, parce que, malgré tout, je croyais en mon pays, en ses institutions. J'ai été en état de choc pendant longtemps.

Au final, parce que j'avais averti la production américaine aux États-Unis, celle-ci s'est protégée en exigeant que le premier rôle de la série soit confiée à… une comédienne métisse dont je ne sais si elle a su pourquoi et comment elle fut choisie.

Je me suis demandée quel était le degré de conscience de la directrice de casting. On se pose quantité de questions.

Il fut évidemment dit que nous étions nuls. Comme c'est curieux ! Les deux seuls comédiens qui ne sont pas blancs sont nuls. En probabilité, ce serait bien sûr possible, mais la mauvaise foi est affligeante. C'est pourtant l'argument qui surgit immédiatement dans ces cas-là.

Lors de l'émission *Ô Quotidien* (France O), où je suis invitée par la suite, l'animateur Flyy Lerandy relève ce paradoxe : on a souvent comparé ma voix à celle de Barbara, de Véronique Sanson, de Kate Bush. Elles ne sont apparemment pas noires. Ou autant que Fanny Ardant.

Avant que mon nom ait fait le tour de l'industrie du doublage et que j'en sois proscrite, j'ai été appelée pour une série dans laquelle ne jouaient que des comédiens noirs américains.

À la pause, la directrice artistique explique qu'elle a distribué « exprès » des comédiens blancs : « J'vois pas pourquoi les Noirs devraient être doublés seulement par des comédiens noirs. »

Tous les acteurs blancs présents acquiescent. Nous sommes deux Métisses. Cette directrice artistique pense faire montre d'ouverture en donnant à des Blancs presque tous les rôles majeurs joués par des Noirs.

Je suis craintive. J'ose, le cœur battant :

— Ferais-tu l'inverse ?

Je vois dans son regard qu'elle n'est pas sûre de comprendre, puis, quand elle comprend, qu'elle n'y avait en fait jamais pensé. Elle hésite.

— Tu veux dire, distribuer des Noirs dans des rôles de Blancs ?

— Oui.

Il y a un blanc, si j'ose dire. Ma question interpelle. Personne ne bronche, tous ces gens qui trouvaient tout à fait normal de doubler des comédiens noirs comme preuve de leur non racisme, sont muets. La directrice finit par dire :

— Ce n'est pas pareil, il y a des Noirs qui ont des voix de Noirs.

— Tu trouves que j'ai une voix de Noire ?

— Non, toi non, mais regarde Lucien, il a de la négritude dans la voix.

Lucien, c'est Lucien Jean-Baptiste, l'acteur et réalisateur de *La Première Étoile*, et je doute que les spectateurs aient pensé qu'il avait « de la négritude dans la voix ». Il est français, vit en France, travaille en France, il n'a pas même une once d'accent antillais, de quoi parlons-nous ? De la négritude dans la voix ? Pauvre Césaire ! Pauvre Damas !

Bien sûr, j'ai eu envie de pleurer, bien sûr, il est impossible de vivre comme ça. Et encore, je l'ai dit, et d'une certaine manière, ma question a fait réfléchir, puisque dès que nous sommes tous retournés sur le plateau, la directrice de casting me donnera un personnage blanc à doubler.

Il y a une candeur à dire des horreurs qui arrachent le cœur de celui qui les entend. La comédienne blanche qui dit : « J'ai une voix de Noire » répète ce qu'on lui a dit, ce qui se dit. Cette surdité, cette volonté de ne pas

comprendre, rend les conditions de travail particulièrement difficiles. C'est de l'ordre du harcèlement. C'est là
où le politiquement correct me soutiendrait, ferait office
de fondations d'une maison qui reste à construire.

Comme beaucoup d'artistes, je voulais transformer
une expérience négative en acte créatif. Avec Anne, nous
avons écrit un court métrage, *Voix spéciale*.

Une des premières choses qui nous fut reprochée
c'était de... manquer d'humour !

Bref...

Nous avons donc réalisé un autre court métrage avec
des gens normaux, c'est-à-dire, deux Métis, un Antillais,
un Maghrébin, un Juif, tous français. C'était un conte
poétique, une histoire d'amour et de temps, intitulée
Temps d'amour. Nous avons eu la chance de recevoir
beaucoup de soutien, tant des techniciens que des lieux
où nous avons tourné. Ce court-métrage, où les héros
n'étaient pas blancs, a été sélectionné dans plusieurs
festivals.

16

QUAND TU CHANTES COMME ÇA, ON SE CROIRAIT DANS LES CHAMPS DE COTON

Sur le tournage de *La Crèche*, je chante à mon maquilleur. Une comédienne, assise à l'autre table de maquillage, se retourne et me dit :

« Oh quand tu chantes comme ça, on se croirait dans les champs de coton ! »

Je reste sans voix. Si l'on pouvait entendre comme mon coeur s'arrête alors de battre, si l'on pouvait respirer par mes poumons asphyxiés. Cette comédienne a fait d'autres remarques par ailleurs, m'associant à Bob Marley – qui était métis, mais je ne suis pas sûre qu'elle le savait. Elle ne comprend pas quand je lui dis, en colère, que ses mots me font très mal. Je l'appelle Scarlett O'Hara. Une autre comédienne prend sa défense. Quelle tristesse ! Voilà la difficulté d'être numériquement dominée. J'aurais tellement aimé qu'une comédienne blanche ne se sente pas obligée de s'identifier à une autre comédienne blanche.

Il paraît que je devais prendre cela pour un compliment. Un compliment que d'être renvoyée à l'esclavage ? Qu'en sait-elle des champs de coton ? Elle y était ? D'ordinaire, les gens bien intentionnés disent : « Vous avez une jolie voix. » Qu'y avait-il d'autre qui se jouait ici ? Si je suis dans les champs de coton, où se situe-t-elle, qui est-elle ?

Les esclaves dans les Antilles ne chantaient pas le blues. Le blues est américain. Que chantaient les esclaves dans les champs de canne à sucre aux Antilles ?

D'abord, il y avait très peu de femmes, car c'était très dur de couper la canne. C'était donc des hommes pour la plupart. Cinq à six ans de vie au maximum. On se moquait bien de les épuiser, l'Afrique semblait intarissable, un de crevé, dix de capturés, vendus, achetés, crevés et on recommençait. L'Amérique, elle, a préféré l'élevage – oui, oui l'élevage, nous parlons de bétail – d'où les *chants* de coton – non, je n'ai pas fait de lapsus.

Dans les îles à sucre, on faisait venir 30 femmes pour 1 000 hommes. Je ne crois pas qu'elles aient eu le cœur à chanter, vue l'extrême violence qui s'exerçait sur elles.

Et en réalité, je n'aurais sans doute pas été dans les champs si j'avais été esclave aux États-Unis, mais plus probablement dans la maison, comme l'étaient souvent les Métisses dans le Sud.

C'était cela la réalité de l'esclavage, alors quand je chante, j'aimerais bien qu'on ne me balance pas que je suis une esclave. Qu'en savent-ils de ce qu'il y a dans ma voix ? Mon histoire ne se réduit pas à la couleur de ma peau. Qu'y a-t-il dans la voix de Barbara ou dans la voix de Sinéad O'Connor ? Ce sont des raccourcis, des projections ignorantes qui blessent. « Quand tu chantes comme cela on se croirait dans les champs de coton ? » Dois-je remercier les esclavagistes pour avoir cette voix ? N'oublie pas que tu descends d'esclaves.

Penser l'esclavage uniquement par les champs de coton dit aussi combien nous en savons peu sur notre histoire. Cette ignorance où l'hégémonie nord-américaine sur nos pensées prévaut est volontaire.

Le mot « métis » vient du portugais, comme je l'ai dit plus haut. Toute l'Amérique latine, et surtout le Brésil, est liée à la traite. Pourtant aucune image ne nous vient. D'ailleurs, qui sait dire d'où vient cette imagerie des *chants* de coton, quel film ou téléfilm ? Quelles photos ? Dans quel livre ? Nous la connaissons par cœur, mais pouvons-nous citer des sources ?

Dans un article de 2008 intitulé « Jazz : noire et blanche à Deauville », une journaliste parle de jazz blanc en opposant Stacey Kent à Lizz Wright.

Ce titre, comme tant d'autres, fait un jeu de mots questionnable. L'ambiguïté de l'article vient de ce que noir implique souffrance et blanc légèreté. On entend donc que la souffrance est lourde.

« Stacey Kent, 40 ans, incarne un jazz blanc empreint de musiques légères. Lizz Wright, 28 ans, est la fille d'un pasteur afro-américain. » L'opposition musiques légères / pasteur afro-américain laisse songeuse.

L'article compare d'ailleurs Stacey Kent à Diana Krall, qui a pourtant un grave et un swing plus proches de ceux de Lizz. Et je ne qualifierai pas « jazz » toute la musique de Lizz. Le vrai point commun entre Diana et Stacey, que ne partage pas Lizz, est qu'elles sont... blanches ! Mais Stacey Kent est décidément la plus parfaite des chanteuses parce que... « plus mince » !

16. Quand tu chantes comme ça, on se croirait dans les champs de coton

« Stacey Kent est dans la veine de Diana Krall, en plus mince. »

Si légèreté peut vouloir dire désincarné, sans poids, donc sans corps, et qu'une voix blanche est une voix sans timbre, ici l'opposition souffrance/légèreté donne au mot un sens positif. De légèreté à allégé, il n'y a qu'un pas. Ce n'est plus une chronique musicale, mais un article de mode.

Mais voilà que Lizz est soudain devenue trop légère ! Elle aurait « tout oublié des fêlures ». La journaliste oublie que si cette souffrance noire est lourde, la cause en est blanche. La cause, elle l'efface d'un mot : « légèreté », qui renvoie à la grâce, le désincarné de l'ange, l'apesanteur. Merci Stacey Kent de ne pas nous alourdir avec une souffrance sans doute dérangeante, et merci d'être si mince.

La fin de l'article reproche donc à Lizz d'avoir, non seulement oublié sa souffrance de Noire, mais ô crime, d'être « zen », « outrageusement pacifique » (quel oxymoron !). Voici donc Lizz devenue légère, mais ici, le sens est, allez savoir, moins positif.

« Ses reprises, nombreuses, se sentent à peine, elles sont passées à la moulinette Wright, outrageusement pacifique […]. En 2008, Lizz Wright a tout oublié des fêlures, l'option est zen. Son quartette est un exemple de légèreté discrète. De Tracy Chapman, il y a la voix, en plus parfait, mais pas la hargne. »

On lui accorde la « voix », tout de même, mais cela ne vaut pas « la fraîcheur » de Stacey Kent qui est si mince. C'est curieux d'opposer voix et fraîcheur. Stacey n'a pas de voix mais elle est fraîche, c'est-à-dire, jeune, belle, gracieuse. Lizz a de la voix, mais elle n'est pas fraîche.

Aparté – Et s'il s'était agi de la chanteuse de jazz coréenne Youn Sun Nah dont j'adore la voix, aurait-on parlé de jazz jaune (à prononcer à voix haute, très bon exercice d'articulation) ?

Je me souviens des paroles d'Étienne Roda-Gil sur *Ballade en blanc* de Julien Clerc :

Blanc qui envahit et qui détruit l'Amérique en quelques nuits
Blanches
Les tuniques sévères
Des gardes blancs de cette terre
Blanche
La mort qui sort de la bouche du fusil
Voilà peut-être pourquoi mon amour, certains soirs
Il fait bon d'être un peu noir. […]

Ou celle de Pierre Perret, *Lily* :

Mais pour Debussy en revanche
Il faut deux noires pour une blanche […]

Cela me rappelle le livre de Marie Cardinale, *Les Mots pour le dire*, où elle décrit une dépression inconsciemment révélée par la trompette de Louis Armstrong. Dans *Playing in the Dark*, Toni Morrison analyse l'effet catalyseur de cette trompette qui a complètement échappé à Marie Cardinale.

Cela me rappelle aussi une camarade du Conservatoire qui me demandait, agacée : « Comment fais-tu pour souffrir comme cela, moi, j'aimerais bien souffrir comme cela ! »

16. Quand tu chantes comme ça, on se croirait dans les champs de coton

Donc souffrir oui, mais avec légèreté, s'il vous plaît, et en aimant sa souffrance.

Un journaliste a parlé de ma « voix des îles ».

J'avais fait lire l'article à un ami anglais qui avait relevé, agacé, cette comparaison. Quand j'ai fini par dire au journaliste qu'il exagérait, qu'il était allé en Martinique davantage que moi, il l'a très mal pris, nous nous sommes fâchés. Il a eu cette phrase qui revient souvent dans ces cas-là : « Réglez vos problèmes avec votre couleur ! » Une méchante phrase que je lui ai renvoyée.

Nous nous sommes réconciliés depuis. L'article était gentil par ailleurs. Mais je reste une déception des aficionados de la musique dite « black ». On me regarde et l'on fantasme Erykah Badu ou Alicia Keys. Elles sont formidables, magnifiques, mais n'y aurait-il donc qu'un type de musique pour les Noirs dont font partie les Métis en vertu de la goutte de sang noir ?

Est-ce que la chanteuse pop anglaise et métisse Corinne Bailey Rae fait de la musique black ? Est-ce que Sade Adu, Métisse, fait de la musique black ? Un Black fait-il nécessairement de la musique black ? A contrario, un Blanc peut-il faire de la musique black ? Et alors qu'est-ce que la musique blanche ? Elvis Presley s'est inspiré de la Motown, tout comme les Beatles. John Lennon et Paul McCartney étaient fans de Sam Cooke. Moi qui suis une fan des Beatles, je ne cesse de découvrir l'influence de la Motown dans leurs chœurs et leurs accords. Et Michael Jackson faisait-il de la musique black lui qui était surnommé le roi de la pop ? De quelle couleur est la pop ? Tom Waits peut-il faire du blues ?

La chanteuse haïtienne Toto Bissainthe ne fait pas de *black music*, elle fait de la musique et il se trouve qu'elle est noire. Alice Keys est métisse, elle a des années de piano classique derrière elle. De quelle couleur est le piano classique ? Et que veut dire classique[89] ? Le chevalier de Saint-George était un grand compositeur métis au XVIIIe siècle. Qui le connaît ? Et de quelle couleur était sa musique ?

Lorsqu'on regarde la production française, on s'aperçoit vite qu'il y a très peu de Métis dans la chanson dite « à texte », c'est-à-dire, la chanson intelligente, sensible, intellectuelle.

Les Noirs, les Métis se trouvent dans le hip-hop, le rap, le R'n'B hérités des États-Unis ; une musique vite qualifiée de violente, d'agressive et sexuelle, où pourtant les textes comptent.

En musique aussi la goutte de sang noir prévaut.

Je me souviens d'un directeur artistique d'une maison de disques qui me voulait R'n'B avant même de m'avoir écoutée, d'un autre qui m'identifiait à Tracy Chapman pour la pochette.

Si Diana Krall, comme ses prédécesseures, Rosemary Clooney, Julie London, Peggy Lee…, fait du jazz sans que sa légitimité soit questionnée, Tina Turner, elle, s'est battue pour avoir le droit de faire du rock.

Mes chansons sont dans la tradition française de la chanson à texte quand je chante en français et de la pop anglaise quand je chante en anglais. Mon père chantait Brassens en s'accompagnant à la guitare. La voix de mon

---

89. Dans son livre, *The Story of Music* (New York, Random House, 2013), le musicien Howard Goodall, rejette cet adjectif.

16. Quand tu chantes comme ça, on se croirait dans les champs de coton

père était plus proche de celle de Brassens que de celle de Barry White, que ma mère adorait.

Mais cela n'est pas autorisé. Ce qui est autorisé en revanche, c'est que les Blancs aient des « voix de Blacks ». Alors là, les maisons de disques en raffolent.

Une artiste de jazz, de blues, de soul, de R'n'B, blanche est davantage mise en avant qu'une artiste de jazz noire. Les exemples sont multiples, de Stacey Kent, Diane Krall, Joss Stone, Amy Winehouse à Adele pour ne citer qu'elles. Un article du 23 juillet 2014 du *Daily Telegraph*[90] soulève ce traitement différencié selon que l'on soit noir et métis ou blanc.

« Tout le monde dans la pop sait que nous ne devrions plus parler de race pour parler de genre musical. Et pourtant, nous y voilà. Encore et encore, nous sommes confrontés au grand non-dit. [...] Alors pourquoi est-ce que je pense encore que si une maison de disques était confrontée à deux artistes similaires, l'un jeune, talentueux et noir, l'autre, jeune talentueux et blanc, je sais exactement vers qui l'argent irait[91] ? »

Le journaliste a expliqué auparavant le même partage des genres que j'ai donné plus haut, en expliquant

---

90. « Championing Ed Sheeran makes 1Xtra look redundant », Neil McCormick, daily Telegraph, 15 juillet 2014 http://www.telegraph.co.uk/culture/music/music-news/10969003/Championing-Ed-Sheeran-makes-1Xtra-look-redundant.html

91. « *Everyone in pop knows we should be beyond citing race as the distinguishing feature of musical genres. And yet here it is. Time and again we are confronted with the great unspoken ; [...] So why do I still think that, if a record company was confronted with two artists of similar skills – one young, gifted and black one young, gifted and white – I know exactly which way the money would flow ?* »

également que les Blancs s'octroyaient le genre *black music* alors que la réciproque ne peut être vraie.

Personne ne pourrait utiliser le prétexte fallacieux : « Il n'y a pas de bons musiciens noirs. »

Ce qui me surprend toujours quand je lis les journaux anglais, y compris des journaux comme le *Daily Telegraph*, c'est la capacité critique sur ces sujets que je ne retrouve pas dans les journaux français. Je sais, je me répète.

Le journal en ligne Rue89 accueille des témoignages comme celui récent d'une musicienne noire, hélas anonyme, qui s'est entendu reprocher de faire de la musique classique[92] et d'enseigner en conservatoire.

En France, il y a un refus de parler de ces injustices, et cela explique aussi pourquoi les artistes noirs et métis ne se regroupent pas de manière plus efficace. Parce qu'ils se sentent culpabilisés, sans cesse on leur renvoie qu'ils prendraient « l'excuse du racisme pour masquer leur manque de talent ».

Les articles anglais me font beaucoup de bien. Ils me disent « vous n'êtes pas seule à percevoir ces inégalités ». Ils me rassurent, car un homme blanc peut tout à fait voir ces choses qu'une femme métisse vit.

---

92. http://rue89.nouvelobs.com/rue89-culture/2014/07/26/racisme-ordinaire-monde-merveilleux-musique-classique-253921 « Racisme ordinaire dans le monde merveilleux de la musique classique », 26 juillet 2014.

17

JE NE SUIS PAS RACISTE !

De « l'homme africain n'est pas assez entré dans l'histoire » à vous « vous avez des voix spéciales », *je ne suis pas raciste* est toujours la première défense. Je pense que le premier gage de bonne volonté serait de se demander pourquoi l'on a tenu de tels propos. Répondre d'emblée « je ne suis pas raciste », c'est dire que ce que l'autre ressent est faux. Cela s'appelle du déni.

Il ne s'agit pas d'accuser de racisme pour un oui ou pour un non. Ce n'est pas un mot que j'utilise avec facilité. C'est même la dernière chose à laquelle je pense en cas d'agression. Je pense beaucoup plus rapidement au fait que je sois une femme. Je ne pense pas en terme de couleur. Il faut vraiment qu'il n'y ait aucun doute. D'abord, il a fallu du temps pour que j'apprenne à l'identifier, ensuite, je ne vois pas « des Blancs » mais des personnes qui me sont très familières puisque j'ai grandi avec elles. Il m'a fallu apprendre avec douleur que je ne leur étais pas autant familière. « Qu'est ce donc un Noir ? Et d'abord c'est de quelle couleur ? »

Lors de la première campagne présidentielle de Barack Obama, les médias français souvent écrivaient « le candidat noir ». Les internautes ont réagi. Beaucoup ont demandé pourquoi il fallait donc toujours préciser la couleur d'un homme dont on voyait la photo, d'autres ont rappelé qu'Obama était métis. On pourra m'objecter qu'Obama s'est lui-même défini comme noir dans le recensement :

1. C'est son choix, qu'il explique très bien par ailleurs : il sait qu'il est métis, mais il sait que sa condition est noire.

2. Dans son discours de Philadelphie, il parle bien de *brown* et de *black*, soit « métis » et « noir ».

J'avais d'ailleurs écrit – encore ! – à France 3 à ce propos. Un peu plus tard, Marie-Laure Augry, médiatrice de la chaîne, m'invitait à l'émission qu'elle préparait sur Obama et le traitement des médias[93]. Sensible au sujet de la représentation de la diversité, elle me réinvitera pour parler de la couleur à la télévision.

Revenons sur l'affaire Guerlain.

Dans le journal télévisé, du 15 octobre 2010 sur France 2, Guerlain croit faire une boutade en disant qu'il avait travaillé comme un nègre, puis ajoute : « Enfin, je ne sais pas si les nègres ont beaucoup travaillé. » Ses propos ont suscité une grande colère et des manifestations. C'était, dans le cours de ma vie, inédit.

---

93. Émission *Votre télé et vous*, n° 36, France 3, 15 novembre 2008, « Élection US : les médias témoins de l'histoire ».

En revanche, cela me désole de savoir qu'un maire de gauche de ma connaissance soit furieux de cette colère au prétexte qu'il voulait que sa ville rende un hommage au parfumeur. Cela me désole d'autant plus que Guerlain, lui aussi « pas raciste », a récidivé le 24 février 2012, prouvant, s'il était nécessaire, que ses propos n'étaient pas le fait d'une « maladresse ».

Il y a eu la chronique d'Audrey Pulvar sur France Inter. Autrefois, il n'y avait pas de journaliste métissée aussi visible. C'est inévitable d'être porte-parole quand on reste encore l'exception. Ce n'est pas drôle d'être porte-parole de tant de gens différents. La position de la journaliste porte-parole malgré elle n'est pas simple, très vite accusée, si elle réagit, de perdre son objectivité journalistique, ou bien de ne pas assumer ses « origines ». Il y en a eu pourtant des journalistes métisses avant Audrey Pulvar, sans que le public le sache.

Quand je tournais dans le film *Dernier Stade*, j'ai appris qu'Isabelle Giordano était métisse. Le maquilleur avait l'habitude des peaux métissées, car il la maquillait à Canal Plus. J'étais stupéfaite. Isabelle Giordano, pour moi, était blanche. Je l'ai enviée d'avoir pu passer pour blanche.

Quand elle a commencé sa carrière, la télévision ne montrait pas beaucoup de couleur. En 2008, elle animait l'émission *Paris-Berlin, le débat* (Arte) sur le thème « Demain, tous métis ? ». Ce qui peut laisser penser que certaines choses ont changé entre ses débuts et aujourd'hui.

Vincent Cespedes et Éric Zemmour étaient invités. Fidèle à lui-même, Zemmour a affirmé que les Noirs et les Blancs étaient deux races différentes, en argumentant d'un scientifique « Ça se voit ! » Le débat était houleux comme on peut s'y attendre avec lui, et Vincent Cespedes reprochera ensuite à la production d'avoir coupé ses réponses.

Je me suis demandée pourquoi la journaliste n'avait pas demandé à Zemmour, qui lui aussi « n'est pas raciste » : « Et moi alors, de quelle race suis-je ? » Ou si elle ne souhaitait pas s'impliquer personnellement : « Et les Métis, à quelle race appartiennent-ils ? »

Beaucoup d'artistes qui ont caché ou tu leurs origines les revendiquent aujourd'hui. Je comprends qu'on se taise. Je ne suis pas pour le coming out de force. J'aurais adoré pouvoir passer pour blanche, pour être tranquille.

Mais qui est blanc, en réalité ? Pour moi, Éric Zemmour n'est pas blanc, sa peau est mate et pas besoin d'avoir lu tout Freud pour deviner sa problématique identitaire. Nous en revenons à la question de Jean Genet.

Cette question, une journaliste de ma connaissance se l'est posée, quand, aux États-Unis, elle avait vu s'arrêter un 4 x 4 et fut surprise d'en voir descendre une femme noire, vêtue d'un tailleur. Elle s'était prise en flagrant délit de préjugés, m'a-t-elle expliqué et s'était interrogée sur l'étonnement qui l'avait saisie, ce sentiment d'une « inadéquation entre la personne et la fonction ». Alors une fois rentrée en France, elle avait souhaité faire un grand reportage sur des femmes noires – et métisses – françaises de tous horizons.

Aparté – « J'adore votre voix » m'avait-elle dit en laissant un message sur le répondeur.

Dans les années 1990, j'avais une amie allemande dont la mère était rédactrice en chef du *Cosmopolitan* allemand. Cette amie, Corinne, adorait me maquiller. Elle a fait certaines de mes photos de comédienne. Elle était très concernée par les Noires et les Métisses. Elle avait convaincu sa mère d'inclure des mannequins colorées dans le magazine. Elle était en colère qu'en France ce ne soit pas le cas. « Car, m'expliquait-elle, les Noires sont les plus grandes consommatrices de produits de beauté » – on se demande pourquoi… Les annonceurs nous ignoraient à cette époque, sans doute pensaient-ils que nous ne le valions pas !

Les annonceurs sont les vendeurs de cosmétiques. Dans les années 1990, il était difficile de trouver un fond de teint qui m'aille. Je me souviens d'échanges avec des vendeuses adorables. J'ai ainsi appris que Clinique déclinait toute sa gamme aux États-Unis et en Angleterre, mais pas en France. Il me semble me souvenir que la totalité de la gamme est arrivé en France au début des années 2000.

Les choses changent. De plus en plus, les annonceurs mélangent les égéries dans les publicités, à l'image des États-Unis et de l'Angleterre, et les magazines féminins montrent davantage de visages colorés. J'ai été frappée de voir récemment le ravissant mannequin Liya Kebede être l'égérie d'un shampoing. Je remarque cependant que les mannequins noires ont souvent des cheveux lissés. Parfois même, elles portent des lentilles bleues comme le fait souvent Naomi Campbell, laquelle pourtant se bat depuis longtemps pour que les mannequins noires aient le droit de travailler.

La présence, ou plutôt l'absence, de mannequins « divers » sur les *catwalks* (« podiums ») est un sujet récurrent dans les journaux anglais[94].

---

94. http://www.theguardian.com/fashion/2015/apr/05/malaika-firth-interview-modelling-naomi-campbell-comparisons

Que l'on se lisse les cheveux, que l'on mette des lentilles claires pour s'amuser, pour changer, pour jouer la comédie, c'est normal. Mais en réalité, dans les salons, sur les podiums, les cheveux sont lisses. Je ne vois qu'un mannequin avec ses cheveux crépus et courts, c'est Alek Wek. Des cheveux frisés, ou bouclés, voire ondulés, j'en vois rarement. Cette guerre contre « le frisottis », s'exerce également sur les Blanches. Une jeune fille, étudiante en stylisme, racontait à sa cousine que plusieurs coiffeurs trouvaient ses cheveux « difficiles » parce qu'ils étaient… légèrement ondulés.

Il suffit de regarder toutes ces publicités qui vantent la raideur du cheveu comme le cheveu parfait. J'ai d'ailleurs lu dans un magazine féminin que le cheveu parfait était asiatique. Étonnant non, comme disait Desproges ?

Pourquoi ce défrisage, ce lissage imposé à toutes ? Le cheveu frisé est un cheveu coupable. Ma mère ne peut sortir sans un brushing, alors que ses cheveux sont raides, et même par temps de pluie, pas une boucle ne se forme !

Le cheveu frisé est perçu comme rebelle, il faut le « dompter », le « maîtriser », le « discipliner ». Il suffit de lire les étiquettes des produits vantant le « lissage » du cheveu. Les cheveux d'Audrey Pulvar sans lissage, ont beaucoup fait parler, or, ce devrait être l'inverse, puisque son cheveu naturel frise.

Dans les séries *Scandal* et *How To Get Away With Murder*, la créatrice Shonda Rhimes montre bien le rapport aux cheveux des personnages joués par Kerry Washington et Viola Davis. Quand Olivia Pope, le personnage de Kerry Washington, est en vacances, qu'elle laisse libre court à sa sensualité, ses cheveux sont bouclés. Dès qu'elle revient à Washington, d'où la détente est bannie, alors les cheveux sont lissés (avec, à mon goût, une coiffure étrange). Concernant Annalise Keating, jouée par Viola Davis, une des scènes parmi les plus marquantes – inédite à ma connaissance – sur les écrans est le moment où la puissante avocate avec des cheveux lisses retire sa perruque pour laisser place à une femme vulnérable aux cheveux crépus.

Le comédien Chris Rock a réalisé le documentaire *Good Hair* après que sa fille lui eut demandé : « Papa, pourquoi je n'ai pas de beaux cheveux ? »

La dernière fois que je suis allée en Martinique, mes cousines, dont une est coiffeuse, me reprochaient de ne pas être coiffée parce que je laissais mes cheveux frisés libres, comme Miranda, la première héroïne Disney aux cheveux frisés.

Aujourd'hui, les publicités Dove, à destination de l'Occident, jouent sur le naturel, la diversité, tant pour la taille, les cheveux que la couleur de peau...

Mais Dove appartient à Unilever, comme les produits d'éclaircissement de la peau Fair & Lovely dont les publicités vantent le mérite en Inde : dans toutes ces publicités, la femme à la peau noire est en échec alors que la femme blanchie réussit sa vie amoureuse et professionnelle[95].

L'éclaircissement de la peau est dangereux mais la publicité des produits censés le faciliter est autorisé, y compris en France, aux États-Unis, dans les pays d'Afrique.

---

95. http://www.indeaparis.com/dossier-le-blanchiment-de-la-peau-en-inde

17. Je ne suis pas raciste !

Quel paradoxe que d'exiger des femmes noires de tous pays de s'éclaircir la peau, de se lisser les cheveux, c'est-à-dire d'apparaître métisses, tout en niant le métissage.

18

TA MÈRE T'A ABANDONNÉE PARCE QUE TU ES NOIRE...

À qui appartient l'enfant ? Cette question est sous-jacente à chaque naissance. Chaque famille s'empare du bébé, et chacun y va de « Oh, c'est tout son père ! » – ou sa mère, son grand-père, sa grand-mère… On se dispute l'appartenance de l'enfant, plus ou moins en douceur. Mais quand les parents ne s'entendent pas ou pire, quand ils divorcent, l'enfant devient un enjeu terrible. Et la couleur de peau n'est pas en reste quant au partage.

Un enfant métis est souvent perçu comme mignon, et tout le monde s'extasie devant lui. J'ai le souvenir, quand j'étais petite, de gens qui s'arrêtaient dans la rue pour me regarder, me toucher et qui disaient à ma mère combien j'étais belle. Je devais avoir 4 ans.

Dans la série anglaise *Absolutely Fabulous*, Jennifer Saunders (Edina) en fait même le sujet d'un épisode[96].

---

96. « Absolutely Fabulous : Book Clubbin' (#5.2) » (2003)

Sa fille va avoir un bébé, et Edina lui en veut car elle a le sentiment que cela la fait vieillir. Quand elle apprend que le père est africain, au lieu de la réaction négative attendue, elle s'exclame :

« Un bébé métis est le plus bel accessoire qu'une personne comme moi puisse avoir, mon ange ! Oh mon Dieu, c'est le must de la saison ! C'est le Chanel des bébés[97] ! »

Elle s'imagine alors aux défilés avec son petit-fils métis dans les bras. C'est son accessoire de mode ultime.

On en revient aux négrites et négrillons offerts aux aristocrates pendant l'esclavage. La beauté des Métis est un vaste sujet. Nous sommes des animaux fantastiques, mi-truc, mi-machin. Je me souviens d'une camarade qui allait passer un casting de pub pour Perrier. Je lui demande si je peux venir avec elle. Elle parle de moi à la directrice de casting qui lui dit que le commanditaire ne veut pas de Noirs, ni de Métis, et ajoute :

« Oh si elle est métisse, elle doit être très belle ! »

Cette camarade faisait mes photos de comédienne. Lors d'une séance, après avoir fait ses réglages, elle baisse son appareil, me regarde et dit :

« Tu n'es pas si noire que cela en fait ! »

Une amie photographe m'a expliqué dernièrement que c'est son appareil photo qui a parlé. Elle devait sans doute penser faire d'autres réglages, et son appareil lui a dit que ses yeux ne me voyaient pas correctement.

---

97. « *A mixed-race baby is the finest accessory a person in my position could ever have, sweetheart ! Oh, my God, it's the must-have of the season ! It's the Chanel of babies !* »

J'y ai entendu un compliment. Et longtemps, je me suis senti flattée par ces remarques qui me lavaient de la crasse d'être noire. Ah bon ? Je ne suis pas si noire, je me rapproche du genre humain ?

Ce sentiment de crasse ne vient pas uniquement du racisme de certains Blancs. Il y a eu dans ma vie des personnes blanches pour m'aimer, pour me sauver de la malédiction de Cham. Il me vient aussi de mes parents.

Ma mère est partie quand j'avais 5 ans. Mon père m'a dit :
« Ta mère t'a abandonnée parce que tu es noire, elle a pris ton frère parce qu'il est blanc. »

J'ai donc très tôt, dans l'enfance, appris qu'on ne m'aimerait pas « parce que j'étais noire ». En réalité, c'est plutôt de l'ordre du *Choix de Sophie*. Ma mère dit qu'elle a pris mon frère parce qu'il était plus petit. Les raisons sont multiples. Mon frère ressemble plus à ma mère. On a toujours dit que je ressemblais à mon père. Ma mère a elle-même été abandonnée par sa mère, laquelle était venue rechercher le frère. On est dans la répétition.

Très certainement, chaque fois qu'on me répète que les Blancs ne veulent pas de moi, cela réactive l'abandon maternel.

Tout au long de mon grandir, mes parents n'ont cessé de se haïr et de me dire chacun combien l'autre ne m'aimait pas, soit parce que j'étais noire, soit parce que je ne l'étais pas assez, et souvent les deux. L'un et l'autre ont toujours traduit leur désamour par le racisme, et chacun a eu cette tendance à traiter de « raciste » quiconque je pouvais aimer.

Ainsi ma mère, dans ses retours intermittents, me dira souvent que sa sœur, ma tante donc, était raciste, pour me reprocher ensuite de « faire un complexe avec ma couleur » quand j'essaierai de lui parler de ce que je ressens, de ce que je vis.

Mon père n'aura de cesse de me dire que mon frère est plus métissé que moi, sous-entendu plus blanc, donc plus aimable.

Longtemps, j'ai cru que mon frère était blanc. Quand un jour mon frère me parlera des mots méchants entendus à l'école sur sa couleur de peau, je serai stupéfaite qu'il ait pu vivre les mêmes choses que moi.

Ma tante, sœur de ma mère, a des petits-enfants métis. Une des plus jolies phrases qui m'aient été dites vient de ma cousine, blanche, qui m'expliqua à la terrasse d'un petit café à Saint-Rémy-de-Provence, où j'ai vécu enfant pendant la séparation de mes parents :

« J'ai toujours voulu des enfants métis. Sans doute à cause de toi et de ton frère. »

Son fils est venu me chercher à Avignon, un été. C'était un beau jeune homme métis, au visage indien. Une camarade de théâtre passait par là et j'ai compris qu'elle pensait que c'était un membre de ma famille noire. Eh bien non ! C'est un membre de ma famille blanche ! Si tant est que ce soit possible de ranger les Blancs d'un côté et les Noirs de l'autre.

Cela me renvoie au tournage de la série *La Crèche*. Lorsqu'il s'agit de choisir l'enfant de mon personnage, la directrice de casting enfants me montre dans son book la photo d'un petit garçon noir. Exprès, je montre celle de l'enfant blanc sur l'autre page et demande :

— Pourquoi pas lui ?

Une comédienne dit :

— Parce que ce ne serait pas crédible !

Pourquoi serait-il plus crédible que j'aie un enfant noir plutôt qu'un enfant blanc ? Mon neveu est blanc. Le père n'apparaissait pas à l'écran, et personne ne s'est demandé de quelle couleur était ce père invisible. D'emblée, le père était noir. Pourquoi ?

Sur ce même tournage, la comédienne Félicité Wouassi est venue, un jour, avec sa fille métisse.

« Oh, on dirait ta fille ! », me dit une régisseuse.

Félicité qui est noire ferait moins la mère de sa propre fille que moi, juste pour une question de couleur de peau ?

Il y avait une autre comédienne noire sur le tournage qui elle aussi avait un enfant métis.

C'est curieux, c'est là sous les yeux et on ne veut pas le voir.

Quand j'avais 12 ans mon père m'insultait : « Tu es noire, tu es pauvre, tu es noire, tu es pauvre ! » Ces insultes m'ont profondément marquée. J'avais le sentiment de ne rien valoir. Je me défendais, et ma seule défense à 12 ans était de dire : « Je suis métisse. » Je ne comprenais pas pourquoi mon père m'en voulait. Ces mots m'étaient adressés à moi seule, jamais envers mon frère. Le fait d'être de sexe féminin jouait sans aucun doute. Il lui fallait me noircir. Il se blanchissait en me noircissant.

Ses mots étaient des malédictions. On n'efface pas une malédiction. On peut seulement l'atténuer. Tout le monde connaît la fée Carabosse. Aussi, lorsqu'au Conservatoire, on me répétera que je suis noire, cela entrera en résonance.

Mon frère et moi avons été battus, à coups de ceinture. Mon frère saignait du nez. Un jour, mon père m'a ouvert

18. Ta mère t'a abandonnée parce que tu es noire...

le crâne. J'avais des boursouflures dues aux marques. J'apprendrai plus tard que beaucoup d'enfants d'Antillais ont été battus à coups de ceinture. On m'expliquera qu'il s'agit de restes de l'esclavage. Ma grand-mère me dira qu'elle aussi a reçu des coups de ceinture. Évidemment. La violence, la cruauté de l'esclavage ne peuvent pas ne pas avoir laissé de traces.

« Revenons à la taille ou flagellation. 29 coups ? 50 coups ? La jolie querelle. Le Père Labat a parfois des tendresses envers les esclaves. Sauf quand il s'énerve. C'est lui-même qui raconte avoir fait donner une fois "environ trois cents coups de fouet" à un esclave, "qui l'écorchèrent depuis les épaules jusqu'aux genoux. Il criait comme un désespéré et nos nègres me demandaient grâce pour lui". Puis le bon père le fit mettre aux fers après l'avoir fait laver avec une pimentade, c'est-à-dire avec de la saumure dans laquelle a été écrasé du piment et des petits citrons. Cela cause une douleur horrible à ceux que le fouet a écorchés, mais c'est un remède assuré contre la gangrène qui ne manquerait pas de venir aux plaies. Cela se passait à la veillée. Le jour venu, le saint homme fit reconduire l'esclave à son maître. Le maître "me remercie de la peine que je m'étais donnée" et fit encore fouetter son esclave "de la belle manière" » (cf. Jean-Baptiste Labat, *Nouveaux voyages aux îles de l'Amérique,* (1722) t. 1, p. 166-167)[98].

Bien sûr, mon enfance n'est pas celle de toutes les enfances métisses, et les névroses de mes parents ne sont pas celles de tous les parents. Mais en réalisant mon

---

98. Cité *in* Louis Sala-Molins, *Le Code Noir ou le calvaire de Canaan, op. cit.*

émission pour France Culture, j'ai commencé à écouter les enfances métisses de ma génération. Leur père, qu'il soit africain ou antillais, était comme le mien venu faire ses études en France et avait épousé une femme blanche. Je parle des années 1950 à 1970. J'ai réalisé que mon père était né dans une colonie. La départementalisation de la Martinique n'a lieu qu'en 1946, quand mon père a 8 ans, quasi en même temps que le droit de vote pour les femmes. On n'en finit pas de cette superposition femme/ Noir.

« La Martinique et toutes les Antilles, explique Michel Giraud [99], sont des sociétés qui, par leurs histoires, ont leur imaginaire social complètement structuré par la catégorie de la couleur. »

Un enfant métis était une « peau chappée », échappée. Je suis donc une peau chappée – même si mes cheveux frisés me font « mal chappée ».

Avec l'esclavage, les mulâtres ont formé une classe sociale. C'était, comme je l'ai expliqué plus haut, la bourgeoisie antillaise. La dénomination est restée. Ainsi, un mulâtre n'est plus nécessairement l'enfant d'un Noir et d'un Blanc, mais désigne une position sociale. On peut appeler « le Blanc » ou « le mulâtre », un Noir riche.

« Le métissage est de fait aux Antilles, mais c'est problématique, du fait de l'histoire coloniale, de par les significations qui sont investies dans la question de la couleur. Celle-ci est un langage qui masque autant qu'il révèle.

99. *In* Yasmine Modestine, *Metis nous sommes des 200 %, deux sangs pour sang*, pour l'émission d'Alain Veinstein *Surpris par la nuit*, France Culture, 2006.

18. Ta mère t'a abandonnée parce que tu es noire...

Il est évident qu'aux Antilles, la couleur est une classification sociale. Il y a donc une double hiérarchisation, comme le dit Frantz Fanon. Tout le problème est la relation complexe où l'on peut superposer les deux hiérarchies : l'une sociale comme celle qu'on utilise dans les sociétés européennes, l'autre liée à la couleur. On parle de socio-racial, d'ethno-classe. Plus on est clair, plus on a de chances statistiques, d'être situé haut dans la hiérarchie sociale. Plus on est foncé, plus on a de risque d'être en bas[100]. »

On dit bien « noire comme la misère ». Et c'est ce que disait mon père dans « noir pauvre ».

Sa violence était celle du Noir des plantations qui en veut doublement à la mulâtresse libre, une violence d'un autre temps.

Une camarade comédienne franco-camerounaise disait à sa fille métisse : « Tu es noire, et les gens ne t'aimeront pas parce que tu es noire. »

Un infirmier antillais me disait : « À ma fille, je lui dis qu'elle est noire, qu'elle ne croit pas que métisse fasse d'elle une blanche. Elle est noire. Les Blancs ne voudront pas d'elle. »

Ce qui est quand même curieux puisque lui-même était marié avec une femme blanche.

Blanchir pour grimper l'échelle sociale est consécutif de l'esclavage, mais comme partout, comme toujours, on ne laisse pas les femmes s'échapper.

Métisses rappelées à l'ordre noir par leur parent noir. Pour les avertir de ce qu'elles vont vivre ? Pas uniquement. « Peau chappée », ne doit pas échapper.

---

100. *In* Yasmine Modestine, *Métis nous sommes des 200 %, deux sangs pour sang, op. cit.*

Quel dommage que tu ne sois pas plus noire

« S'il s'est produit une inversion du stigmate, comme disent les sociologues, c'est-à-dire, une affirmation de la valeur, de la fierté de la couleur noire – les Américains disent *black is beautiful* – notamment avec le mouvement de la négritude, aussi discuté soit-il, et la redécouverte de la poésie de Césaire, de Senghor, de Damas, il n'en demeure pas moins que la question de couleur n'est pas liquidée. Celui qui revendique *black is beautiful* peut très bien préférer les femmes aux peaux claires[101]. »

J'ai une amie métisse dont la mère antillaise, tout en méprisant les Blancs et en étant elle-même mariée avec un Blanc, refuse que ses enfants soient avec des Noirs, si bien qu'elle ne parle plus à l'une de ses filles qui est en couple avec un homme noir.

Mon père a grandi dans une île dont j'ai peine à imaginer le racisme. Sa peau marron foncé, ses origines sociales pauvres, le mettaient en bas de l'échelle. Il a dû travailler très dur pour s'élever. Mais cela a un coût psychologique. Il est resté vingt-deux ans sans retourner en Martinique. Pourquoi ?

Mes cousines martiniquaises me répétaient qu'en Martinique, je travaillerais facilement en tant que comédienne parce que j'avais la peau claire. Je me souviens que sur la chaîne de télévision RFO, les présentateurs et présentatrices de JT étaient tous très clairs. Audrey Pulvar a d'ailleurs commencé aux Antilles.

C'est difficile à croire, quand on vient de France hexagonale où votre peau a toujours été trop foncée, que soudain vous êtes privilégiée parce que votre couleur

---

101. *Ibid.*

18. Ta mère t'a abandonnée parce que tu es noire...

est plus claire. Je me souviens d'une voisine de ma grand-mère, à Sainte-Marie, quartier Derrière Morne, touchant mes cheveux en disant avec envie : « Elle a le cheveu souple ! »

J'étais une petite fille de 12 ans, grosse, malheureuse, qui se sentait sale parce que noire-pauvre, négresse-blanche-neige et dont les cheveux étaient comparés à la laine de mouton en France, et soudain, j'avais des cheveux qu'on admirait !

La trace de l'évangélisation, prétexte à l'esclavage, se fait encore profondément sentir en Martinique. La religion catholique est très présente dans la famille de mon père. Bien qu'athée, mon père est fortement imprégné d'une religion qui revendique la virginité pour les filles jusqu'au mariage. Et j'étais épiée, interrogée, harcelée, tout en étant affreusement seule. J'étais une adolescente très peu sûre d'elle-même avec les garçons.

De l'autre côté, ma mère vient d'une famille du Berry, tout aussi pauvre. Elle fut mise à la DDASS par sa propre mère et je ne doute pas qu'elle y a vécu des choses très dures. Ma mère n'a jamais connu son père.

Dans ces années-là, on constate que les femmes blanches qui épousaient des hommes noirs avaient souvent des difficultés dans leur famille, le désir de s'en échapper, d'aller chercher loin. La psychothérapeute Sokhna Fall explique que ce choix d'aller chercher un homme (ou une femme, mais ici ce sont des femmes blanches qui épousent des hommes noirs) très loin de la lignée paternelle n'est pas un choix banal :

« Qu'est-ce qui était renvoyé à la lignée paternelle dans le choix d'un homme scandaleux ? Il y a une tentative de rappeler métaphoriquement l'interdit de l'inceste, ou sans que ce soit aussi monstrueux, on entend quand même alors une critique, une mise à distance du père[102]. »

Les enfants métis de ma génération sont nés sur un scandale : pour la première fois depuis l'esclavage, l'homme était noir. Une femme blanche s'éloignait de sa famille pour épouser un « nègre ».

Ne pas croire que la famille de l'homme le prenait bien, que lui aussi aille chercher loin. Une de mes tantes martiniquaises pensait que ces mariages-là ne pouvaient pas marcher.

Je sais très peu de chose du mariage de mes parents, à part les souvenirs de violences physiques. Je me souviens qu'ils m'ont demandé de choisir. La question à qui appartient l'enfant était très concrète : mes parents m'appelant chacun à un bout de la cuisine. Choix qu'on va me demander toute ma vie.

Déjà en sixième, on me demandait : « Yasmine, tu épouseras un Blanc ou un Noir ? » Cette question qui me dérangeait est revenue quand j'interrogeais la jeune Charlotte pour mon émission. Le preneur de son lui a posé la même question trente ans plus tard !

Demande-t-on à un Breton qui vit en Provence s'il va épouser une Bretonne ou une Provençale ? Demande-t-on à un Anglais qui vit en France s'il va épouser une Anglaise ou une Française ?

« On convoite ce qui est à proximité » dit un personnage dans le film *Le Silence des agneaux*.

---

102. *In* Yasmine Modestine, *Metis nous sommes des 200 %, deux sangs pour sang*, pour l'émission d'Alain Veinstein *Surpris par la nuit*, France Culture, 2006.

18. Ta mère t'a abandonnée parce que tu es noire...

La petite fille qui me posait cette question était elle-même d'origine espagnole ! Je ne lui ai pas demandé si elle allait épouser un Espagnol noir ou un Français blanc. J'aurais dû.

Mon père n'a jamais parlé de l'expérience qu'il avait pu avoir du racisme. J'ai quelques bribes de son arrivée en France à 15 ans dans une famille d'accueil communiste à Vierzon. Je sais que, de meilleur élève de sa classe en Martinique, on le fera redoubler de deux classes en France – j'imagine que sa couleur en était la cause – ce qui lui laissera une profonde amertume. Mais il ne racontera jamais, par fierté sans doute, les insultes qu'il aura subies. Je ne pourrais que les deviner dans celles que je recevrai de lui. Je sais qu'on a essayé de le jeter d'un train, mais rien d'autre.

Par ma mère, je parviendrai à savoir qu'ils se sont rencontrés à un bal du 14 Juillet à Bourges, qu'elle pensait que « les Noirs dansaient bien » et qu'elle fut surprise qu'il l'invite à danser. Elle finira par me raconter qu'après leur mariage, à l'hôpital où elle était aide-soignante (fille de salle, disait-on à l'époque), on se moquait d'elle.

« Alors Betty, tu broies du noir ? », « Tu vois la vie en noir ! », etc. Elle pleurait le soir, essayait de se cacher de mon père, qui devinait. Un tel contexte n'aide pas à la stabilité d'un couple, constitué de jeunes gens – ma mère a 21 ans quand je nais et mon père 26 – ayant tous deux des histoires douloureuses.

Dans l'immeuble où nous habitions, dans les années 1970, à Nemours, je me souviens d'un couple dont la femme, Delphine, était noire, originaire de la Nouvelle-Calédonie et l'homme, Henri, était blanc.

Je n'ai pas appris le créole, mon père n'a jamais eu d'accent créole, je n'ai même jamais imaginé jusqu'à très récemment, qu'il en ait jamais eu un. Pourtant ses frères et sa sœur en ont un.

Je ne suis allée que quatre fois dans ma vie aux Antilles. Je n'ai pas été élevée dans la culture antillaise, j'ai grandi en France, dans une famille majoritairement blanche, avec des amis blancs. Je ne me souviens pas avoir jamais vu de Noirs chez moi à part mon père. Il y a eu quelquefois des fêtes de famille, avec les frères de mon père, mais très peu. J'ai, la plupart du temps, été la seule métisse en classe. Les rares fois où il y avait un ou deux élèves noirs, c'était en CE2, une élève d'origine guadeloupéenne, et en math sup, un élève africain. Les projections faites sur eux, je m'en rends compte à présent, étaient racistes. Ils étaient méprisés, soit par les élèves dont je faisais partie, soit par les profs, notamment en math sup, d'emblée perçus comme moins bons. Je ne voulais rien avoir à faire avec elle ou lui. J'avais peur du ghetto, je ne voulais pas qu'on nous associe par la couleur de peau. Je me tenais à l'écart.

À l'école, on m'expliquera qu'on ne pouvait pas dire que j'étais jolie, puisque j'étais noire. Les garçons avaient noté la beauté des filles, et ne m'avaient pas notée. J'étais persuadée que j'allais être la plus moche, ils ont préféré sortir le joker. Je ne savais pas lequel de ces choix était le pire.

Quand je disais « à l'école on m'embête », mon père répondait : « Tu baisses la tête et tu rentres dedans. » Il n'est jamais venu me défendre, ni parler aux enseignants. En CE1, un instituteur me blanchissait à la craie et me

18. Ta mère t'a abandonnée parce que tu es noire...

frappait avec une badine. Mon père a découvert les bleus en me lavant. Il est allé voir le directeur, l'enseignant a dit que j'exagérais. En sortant, j'ai dit à mon père :

— Papa, il a menti !

Et mon père a répondu :

— Tais-toi, tu exagères.

Il avait pourtant vu les bleus et les cuisses enflées.

On proposera de me faire sauter une classe car j'étais en avance. Allez savoir pourquoi, mon père a refusé, me laissant dans la classe de ce type.

Je me souviens aussi d'un élève métis en première, dont le père était un cousin éloigné de mon père – nous l'avons découvert alors. Je me rends compte que j'étais plus dure avec lui qu'avec les élèves blancs.

Cette dureté, j'en ai également fait l'objet, à commencer par mon père, et jusqu'à très récemment avec une députée antillaise. Des amis m'ont expliqué que cette députée était plus dure avec moi à cause de ma couleur.

Cet élève métis était amoureux d'une élève blanche. C'était réciproque, mais les parents de la fille n'ont pas accepté. C'était en Normandie dans les années 1980.

De Noir, je n'ai reçu, à l'intérieur comme à l'extérieur, que des images négatives.

Je me souviens du sketch de Michel Leeb : *L'épicerie africaine.* Je me souviens d'avoir eu une discussion très mouvementée lors du réveillon 2000 avec une femme, pourtant charmante, qui ne trouvait pas ce sketch raciste. Je me souviens qu'à l'époque de la diffusion du sketch, je riais moi aussi. Si je le regarde aujourd'hui, je suis atterrée. Quand Thomas N'Gijol parle de ce sketch et de l'humiliation que c'était pour son père, je réalise que dans mon univers blanc normand catholique, il n'y avait pas d'Africain, ni d'Asiatique (le sketch *Le bourdon et la mouche* est tout aussi affligeant). À mes yeux, mon père était mon père, né en Martinique comme moi j'étais née à Montargis. Nous étions des Français.

Michel Leeb a eu énormément de succès dans les années 1980 et 1990. Cela donne la température de ces deux décennies. Dire qu'il est agrégé de philosophie !

Je me souviens d'une anecdote au Conservatoire, en 1988. Cela se passait à la bibliothèque. C'était un endroit où nous aimions nous retrouver, entre le confort des livres et la luminosité de ses grandes vitres qui donnaient sur les toits de Paris.

Un élève s'amusait à prendre l'accent qu'on dit africain. Un élève étranger était là. Il venait, il me semble, du Gabon. Les élèves étrangers étaient au Conservatoire pour une année. Ils assistaient aux cours sans y participer. Certains professeurs comme Pierre Vial les faisaient jouer quand même, décriant ce système qui acceptait des élèves sur dossier tout en ne les laissant pas travailler. Je crois que cela a changé à présent.

Tout le monde riait devant l'imitation. L'élève était talentueux, nous l'aimions beaucoup. J'aurais souri autrefois, mais c'était l'année de Marwood et quelque chose en moi se détachait. Je n'appartenais plus à ce monde. On m'avait faite noire et je le devenais. Je regardais mes camarades rire en me sentant loin d'eux, et soudain, inspirée, j'ai demandé à l'élève étranger s'il savait imiter les Français. Il a saisi la perche avec joie et a commencé à jouer un personnage français. Il n'avait donc plus d'accent « africain », il parlait comme nous, avec notre gestuelle. C'était très juste.

18. Ta mère t'a abandonnée parce que tu es noire...

Tout le monde était frappé de stupeur. Plus personne ne riait.

J'ai souvent pensé à cette scène. Je me suis souvent demandé ce qui se jouait, dans le silence des spectateurs. Pourquoi l'un faisait rire et l'autre stupéfiait ?

Le favori a mis son bras autour des épaules de l'outsider, ce qui a relâché la tension du public.

Quand je reverrai ma mère, des années après son départ, elle répétera : « Tu n'es pas noire, tu es métisse », chaque fois que je lui dirai les mots de mon père sur moi.

S'ils étaient restés ensemble, que je sois l'enfant de l'autre n'aurait sans doute pas été un tel enjeu. Mais en l'état, c'était une trahison que de ressembler à l'autre.

Heureusement, j'ai eu de merveilleuses amies et j'ai connu des Blancs qui n'ont jamais eu à l'égard des Noirs les sentiments ambivalents que j'ai pu ressentir. Quand j'entends que les Noirs seraient « aussi racistes » que les Blancs, je dis « Oui, mais envers qui ? » L'expression « racisme à l'envers » m'irrite. Y aurait-il un endroit ? En réalité, ce n'est pas une simple réciproque. Il arrive que des Noirs soient racistes envers les Noirs.

Si je ne m'identifiais pas aux Blancs, je n'avais aucune identification. C'est ce qu'on appelle l'assimilation. J'avais, étudiante, mis dans ma salle de bains des photos de mannequins prises dans les magazines de mode. J'imitais mon amie Catherine.

Mon amie Élisa me fit remarquer que toutes les mannequins accrochées aux murs de ma salle de bains étaient blanches.

« Enfin Yasmine ! Tu ne te mets même pas ! »

J'ai dû froncer les sourcils. Mais Élisa m'avait ouvert les yeux. Seulement, il n'y avait aucune photo de mannequins métisses dans les magazines féminins. J'ai trouvé une photo d'une mannequin noire pour Nivea. Elle était toute mignonne avec un grand sourire.

Les Noirs, les Métis ont une vie, pas uniquement une couleur de peau. Ils ont des parents, ils ont des traumatismes, ils ont des douleurs, des souffrances qui ne sont pas toujours liées à la couleur de leur peau. On ne peut pas se planter sous le nez de quelqu'un et décider de son identité sans rien savoir de lui ou d'elle.

Un personnage disait dans *Le Destin change de chevaux*[103] : « Il ne faut pas croire, mon cher, il faut savoir ! » J'adorais cette réplique. Ce n'était pas moi qui la disait, hélas.

Je suis déchirée quand je suis en Martinique. Et depuis que ma grand-mère est morte, je n'ai pas eu la force d'y aller. Je préfère aller en Angleterre. C'est moins douloureux. Et je comprends la langue.

J'aurais aimé avoir une transmission plus positive de la Martinique. Certaines personnes d'origines antillaises, ou métis avec un parent antillais, ont ce regard légèrement méprisant sur les Antilles. Communément, j'entends « Il faudrait un charter de psy là-bas » ou bien « On n'y arrivera jamais, ils ont trop de problèmes ». J'entends aussi ceux qui se mettent à distance des problèmes sociaux des Antilles, du passé qui ne passe pas, ceux qui disent, bien à l'abri : « C'est du passé, ils nous ennuient. » C'est sans doute un réflexe de protection, autant qu'une façon de blanchir.

---

103. Pièce de théâtre de Roger Vitrac.

18. Ta mère t'a abandonnée parce que tu es noire...

Nous héritons des problèmes de nos parents, hélas, et ces personnes ont hérité, tout comme moi, de ces problèmes. Nous tentons chacun à notre manière de les résoudre. En réalité, les Antilles n'ont pas plus ni moins de problèmes que le fin fond de l'Auvergne, où il y a d'ailleurs la Vierge noire, ou le Berry, d'où vient ma mère. Mais, oui, elles ont une histoire.

19
Petit oiseau exotique...

Je me souviens d'une audition quand j'étais au Conservatoire, pour *Électre*, de Jean Giraudoux, un auteur qui m'était cher. C'était une adaptation qui se déroulait je ne sais plus où mais qui « justifiait » que des personnages ne soient pas blancs. Par contre, Électre, personnage principal, était blanche.

J'entends encore la metteuse en scène parler du personnage pour lequel j'auditionnais, Agathe : « C'est un petit oiseau exotique ! »

Normalement, je n'aurais pas eu de peine à jouer ce personnage qui fut créé par la même comédienne qui créa mon rôle fétiche, Hélène de Troie. Si Jouvet a distribué sa compagne, Madeleine Ozeret, dans Hélène et dans Agathe, c'est qu'il y avait une similitude entre les deux personnages.

Monique Hermant, mon professeur de théâtre au cours Dullin, avait une grande estime pour moi. Quand elle me faisait travailler Hélène, les images qu'elle m'envoyait étaient positives et m'aidaient à construire mon personnage. J'avais lu Jouvet, l'inquiétude de Madeleine Ozeret : allait-elle réussir à incarner un personnage dont tout le monde parle et qui n'entre en scène qu'au second acte ?

Les mots ont leur importance quand on fait travailler un rôle. Par exemple, si le metteur en scène est en colère contre Agnès dans *L'École des femmes* de Molière, il peut la trouver stupide, niaise, ce qu'elle n'est pas, une mise en scène est subjective. Pour Monique Hermant, Hélène n'était pas « un petit oiseau exotique ».

À 22 ans, il est difficile d'avoir la distance nécessaire pour ne pas prendre les mots de plein fouet.

Lors de cette audition, il était manifeste que le personnage d'Agathe était une écervelée métisse au regard d'une Électre profonde et blanche. Je n'ai pas pu réussir cette audition. Ces mots m'ont fait souffrir et la metteuse en scène trouvait que je ressemblais trop à Électre. Seulement Électre devait être blanche.

Je ne suis pas la seule métisse à avoir peur des associations rapides, le « petit oiseau exotique » nous effraie, il nous dévalorise. Nous ne voulons pas non plus être l'alibi.

Je me souviens d'une camarade métisse qui était invitée à une soirée par un garçon blanc. Ils étaient attirés l'un par l'autre, mais elle avait peur. Elle me disait : « Tu comprends, il a vécu en Afrique, alors j'ai peur d'être une petite madeleine, l'homme blanc en Afrique… tu vois… » Et je me suis entendue lui expliquer que cela n'avait pas d'importance, qu'on tombait toujours amoureux pour une raison similaire. Qu'il ait vécu en Afrique et qu'il soit plus sensible à sa couleur, sans doute. Aurait-elle voulu qu'il ne le soit pas ? En lui parlant, je me parlais. Ils se sont mariés et ont eu beaucoup d'enfants. Cette amie avait par ailleurs des frères et sœurs blancs.

De son côté, la plasticienne Diagne Chanel m'explique que dans le regard des hommes noirs son métissage est « un miroir mortel »[104]. Je sais, pour l'avoir vécu en Martinique, que la clarté de ma peau me rendait très attirante et que les jeunes femmes noires le vivaient forcément mal. Cela nous met dans une position d'équilibriste, en étant à la fois conscientes de la cruauté et du racisme, et en même temps, malheureusement, cela nous donne le sentiment d'échapper à la malédiction d'être noire-pauvre noire-pauvre.

Cette clarté de peau, les publicitaires français l'utilisent. Je me souviens d'avoir été appelée au début des années 1990, pour une pub de savon à destination de l'Afrique. J'étais vexée. Pourquoi à destination de l'Afrique ? Il n'y avait alors en France aucune pub de produit lavant avec des Métis et des Noirs. J'ai refusé, bien en peine d'expliquer ce sentiment humiliant d'être repoussée en dehors des frontières de mon pays. Je me souviens de la colère du directeur de casting :

« Tant mieux pour vous si vous n'avez pas besoin d'argent. »

Bien sûr que j'avais besoin d'argent. Aujourd'hui, j'accepterais cette publicité, car je suis plus détachée. Je gagnerais ma vie et je pourrais développer mes projets.

---

104. *In* Yasmine Modestine, *Métis nous sommes des 200 %, deux sangs pour sang, op. cit.*

19. Petit oiseau exotique...

Après tout, c'est le lot de tous les artistes ou presque de faire des choses qui ne leur plaisent pas vraiment. Mais quand on sort du Conservatoire, on a de grandes espérances, et tout de même, une éthique.

Aujourd'hui, comme je le faisais remarquer plus haut, la couleur est apparue dans les publicités ailleurs que pour le chocolat, le café, la vanille, le rhum et les voyages exotiques. C'est bien. Cela nous rend plus familiers. Bien sûr, ce sont souvent des mannequins magnifiques. Des personnes quotidiennes noires ou métisses, il y en a peu, au contraire des Blancs. La pression sur la beauté s'exerce davantage sur les Métis et les Noirs.

Si le métissage apparaît dans les publicités comme gage de beauté, en revanche au cinéma, à la télévision et au théâtre, il reste très rare.

Même pour une pièce comme *e, le roman dit de J'il*, au théâtre de la Colline (2005), où l'auteur québécois Daniel Danis parle du métissage Indien/Blanc au Canada, tous les acteurs étaient blancs, les métis indiens étaient, je le rappelle, appelés « Bois-Brûlés »…

Pourquoi le metteur en scène a-t-il donc choisi de monter cette pièce ? Pour dire que les Canadiens sont racistes contrairement aux Français ? Comment se fait-il que le metteur en scène n'ait pas engagé de comédiens métis justement pour un sujet qui parle du métissage ?

Ces sujets restent tabous au théâtre. Les seules fois où ils sont abordés, c'est bien souvent sous l'angle des banlieues et du hip-hop. Visiblement, tous les Noirs et Métis font du hip-hop. Je ne compte plus le nombre de fois où l'on m'a appelée pour une mise en scène « urbaine », ici de *Phèdre*, là de *Woyzeck*. Toujours la même vision :

Quel dommage que tu ne sois pas plus noire

la Métisse n'existerait que dans les villes, très exactement, dans les banlieues des villes. Et encore, il faut le justifier. Ce qui est plutôt drôle quand on pense à l'endroit, pas particulièrement situé au nord, où se déroule *Phèdre*. En réalité, une blonde à la peau rose qui joue Phèdre est une incarnation éloignée de la réalité de la Grèce antique. Et ajoutons, puisque c'est en Grèce, que tout le monde devrait parler grec. Le Blanc se pose en universel et enferme l'Autre dans sa couleur.

Combien de pièces de Tchekhov ai-je vues où tous les comédiens étaient blancs, où l'idée même de m'auditionner ou d'auditionner un de mes camarades métis ou noir semblait abracadabrante.

Pourtant, la plupart des comédiens français ne parlent pas russe.

Pourtant, je suis allée en Russie quand j'avais 16 ans et je ne suis pas certaine que beaucoup des acteurs blancs qui ont joué des pièces russes y soient jamais allés. Je me souviens même d'avoir vu un étudiant noir par la vitre du bus dans lequel nous visitions Moscou.

Pourtant, il y avait aussi beaucoup d'échanges entre l'URSS et les pays africains communistes. De 1961 à 1992, à Moscou, une université s'appelait « université Patrice-Lumumba » et accueillait beaucoup d'étudiants étrangers.

Pourtant, et surtout, Pouchkine, dont on dit qu'il est le père de la littérature russe, était arrière-petit-fils d'un prince africain. Son arrière-grand-père était Hannibal, affranchi et annobli par Pierre le Grand dont il fut le filleul. Il suffit de regarder des représentations de Pouchkine, ses cheveux noirs bouclés, ses lèvres pleines, pour voir encore la trace africaine. Tchekhov est né après Pouchkine. Mais voilà, encore faudrait-il que la véritable histoire soit portée à la connaissance des gens.

Pour *Woyzeck* – ne me demandez pas ce que raconte *Woyzeck*, la suite m'a braquée contre cette pièce – le metteur en scène m'expliquait que les femmes aux Antilles voulaient épouser les Blancs pour l'argent. Je ne dis pas que cette réalité ne perdure pas. Mais je suis fatiguée qu'il n'y ait que cette question. Ce metteur en scène voulait un rapport Nord/Sud où le Sud était inférieur au Nord. Il était allé dans les Antilles et avait déduit l'essence d'un pays d'une personne rencontrée.

Je peux dire la même chose pour un Molière où l'on m'appelait pour la servante – elles sont formidables les servantes chez Molière, mais pourquoi ne pas me donner Célimène ou Done Elvire ? Pourquoi faut-il toujours et encore que cela vienne des Anglais comme Peter Brook ou Declan Donellan ou de l'Américain John Malkovich ?

Et s'il s'agit de cette notion d'emploi, alors, quand j'étais jeune, j'étais beaucoup plus proche d'Agnès dans *L'École des femmes*, ou d'Elmire dans *Tartuffe*, qui fut d'ailleurs l'un des rôles que j'ai présentés au concours d'entrée du Conservatoire, que du tempérament de Dorine, qui est par ailleurs un personnage magnifique de *Tartuffe*. Seul, Pierre Vial, mon professeur de première année, l'avait compris. Il me distribua dans les rôles de jeunes premières qui pleuraient tout le temps !

Plusieurs de mes amies métisses ont fait le choix d'aller vers l'Afrique ou les Antilles. « Puisque les Blancs ne veulent pas de moi », disaient-elles. L'une fondera un journal sur la culture africaine ; une autre ne montera que des pièces qui parlent du métissage culturel ; une autre encore se rapprochera d'auteurs antillais…

J'ai écrit des pièces où la question du métissage, du père noir, de la mère blanche, est abordée. On m'a fait le reproche de ne pas être « universelle ».

C'est un mot récurrent dans le théâtre, « universel ». En réalité, cet universel ne l'est pas plus que ne l'était le suffrage universel de la Révolution française dont les femmes blanches, noires, rouges, vertes, étaient exclues[105]

J'aurais beaucoup aimé pouvoir faire une émission sur le Berry en parallèle de celle que j'ai faite sur le métissage, dans laquelle les DOM-TOM avaient une grande place. Je n'ai pas pu. Pourtant, cela m'intéresserait aussi de savoir comment était le Berry dans l'enfance de ma mère, cette terre de sorcellerie.

Même pour les arts plastiques, Diagne Chanel explique qu'elle ne fait partie ni des sélections qui mettent en avant la peinture africaine ni des sélections françaises où il n'y aura que des Blancs. Cet entre-deux devient un no man's land. On devrait faire partie des deux, et on ne se retrouve nulle part.

---

105. Quelques affranchis, majoritairement métis, ont eux le droit de vote au moment de la Révolution.

20

D'où tu viens ?

Je me souviens de cette jeune femme métisse qui racontait, lors d'un dîner, que, quand elle prenait le taxi, on ne lui demandait pas où elle allait, mais d'où elle venait.

Le journal en ligne Rue89 aborde le sujet dans l'article, sous forme de dialogue entre deux journalistes du site, « "D'où tu viens ?", c'est raciste ? Une Bretonne et une Métisse en parlent ».

Avant même de lire l'article, le titre me pose problème. Métisse s'oppose ici à Bretonne, ce qui sous-entend, que la Métisse ne vient d'aucune région de France, et que la Bretonne est blanche. Que la majorité des Bretons soit blanche n'exclut pas qu'il y ait des Bretons métis.

Kofi Yamgnane a été maire de Saint-Coulizt, commune du Finistère, a épousé une Bretonne blanche et eu des enfants métis. On peut être métisse et bretonne, métisse et normande, métisse et parisienne, comme la journaliste de l'article.

Qu'est-ce qui fait que le titreur ne veut pas écrire une Métisse parisienne et une Bretonne blanche ? Et si la Métisse était bretonne ? Pourquoi Blanche est si difficile à dire ? On dit Noir, on dit Métis, mais jamais Blanc. Blanc est la norme, il va de soi encore aujourd'hui où pourtant il ne va pas de soi.

L'article est cependant intéressant et je rejoins le sentiment de la journaliste métisse Renée Greusard quand elle dit : « [Si] la question se pose dans un échange réel, elle ne me dérange pas. Mais [elle me dérange] quand elle arrive trop abruptement et qu'elle signifie en réalité : Pourquoi tu es de cette couleur ? »

Finalement Nolwenn, la Bretonne du titre, ne l'est pas, et ressent une similitude de stigmatisation. Son nom et son prénom la marquent et l'assignent à une Bretagne où elle n'est pas née, n'a pas grandi. Les Blancs n'aiment pas non plus être assignés à résidence, pas plus qu'ils n'aiment qu'on les définisse par la couleur de leur peau. J'en fais régulièrement l'expérience. C'est d'ailleurs très étrange pour moi d'écrire les Blancs, car j'ai grandi avec une perspective où l'on dit « les Noirs », mais pas « les Blancs ». Cela me positionne différemment si je dis les Blancs. Je change de regard, de point de vue.

Pour la plasticienne Diagne Chanel[106], la réponse à la question « D'où viens-tu ? » n'intéresse pas les gens. On la prend très souvent pour une Antillaise et cela la fâche. Moi aussi, on me prend pour une Antillaise et réguliè-rement je réponds que mon père est Antillais, pas moi. Ce

---

106. *In* Yasmine Modestine, *Métis nous sommes des 200 %, deux sangs pour sang*, pour *Surpris par la nuit* d'Alain Veinstein, France Culture, 12 septembre 2006.

Quel dommage que tu ne sois pas plus noire

qui est vrai. Pas plus, ni moins, que je ne suis berrichonne, mais quand je dis cela, j'ai droit à des éclats de rire.

Mon camarade dont le père est guinéen et la mère bretonne, est régulièrement pris pour un Réunionnais. Si jamais l'on doute que les Indiens soient issus du métissage Blanc/Noir, il suffit de le regarder.

Pouvoir jouer un Réunionnais, tant mieux. Seulement, il ne l'est pas. Donc, il va travailler le personnage comme Meryl Streep jouera une Danoise. Si je dis que personne ne remarquera le travail, est-ce que cela étonne ?

Je me souviens d'un garçon m'affirmant avec une certitude terrifiante que « je ne faisais pas réunionnaise, qu'il y allait [à La Réunion] souvent faire de la plongée ».

Je reçois un appel un jour d'un assistant réalisateur qui me demande si je suis marocaine. Il a vu une photo de moi où j'ai un foulard dans les cheveux et je m'appelle Yasmine. Je lui dis que je suis métisse et qu'en Égypte, je passais pour une Égyptienne. Il accepte de me recevoir. À peine a-t-il ouvert la porte qu'il s'exclame : « Ah non ! Vous ne faites pas du tout marocaine ! »

C'est quoi, une Marocaine ? Elles aussi se ressemblent toutes ? J'ai une amie, par exemple, qui est métisse marocaine/guadeloupéenne et dont la mère marocaine me ressemble, paraît-il.

De même, j'ai rencontré des Noirs qui ressemblaient à des Blancs et réciproquement.

Je n'allais pas me battre, l'assistant était gentil. Je demande juste à voir le réalisateur, puisque je suis là. Il accepte et le réalisateur me donnera un autre rôle. Ce réalisateur, Jean-Pierre Mocky, m'a tout de suite dit : « Ce n'est pas facile quand on n'est pas blanche, n'est-ce pas ? »

Lors d'un dîner dans un restaurant, un ami réalisateur me dit qu'il est sûr que la serveuse est d'origine maghrébine. Il m'explique les différents types et prétend qu'on ne peut pas confondre une Antillaise avec une Algérienne. Je demande à la jeune femme si elle est métisse. Oui, sa mère est belge, son père guadeloupéen. Mon ami ne comprend pas : « Pourtant, elle a l'air du Maghreb. » Et où est le Maghreb ?

À ce propos, mon père détestait que l'on parle d'Afrique noire et d'Afrique blanche, pour lui, il n'y avait qu'une Afrique. Mais l'Europe, elle… reste blanche !

L'autre jour, je lisais un article sur la drépanocytose qui se rencontrerait plus souvent aux Antilles, au Maghreb, en Afrique subsaharienne, en Grèce et en Italie. Si elle se retrouve autant en Grèce et en Italie, je pense qu'en France aussi, mais passons… J'ai relevé d'un côté au Maghreb, de l'autre en Afrique subsaharienne, mais pourquoi ne pas dire en Afrique tout simplement ?

Le métissage en Afrique est partout. Ma manager revient du Cameroun. Elle me parle d'un stagiaire à la peau foncée – du moins d'un point de vue européen car pour là-bas, il était clair – et aux yeux bleus. Elle me raconte un échange lors du déjeuner avec les autres formateurs et leur surprise quand elle parle du stagiaire aux yeux bleus. Toutes ces certitudes qui volent en éclats dès que l'on regarde vraiment.

Je l'ai dit, je le redis, les choses changent. Des rôles s'écrivent enfin, s'étoffent pour les Métisses et les Noires et le métissage commence un tout petit peu à exister dans les productions télévisuelles françaises. Mais c'est au compte-gouttes et la suspicion sur notre talent est lourde. Nous devons fournir plus de travail, plus de preuves que nous sommes autant capables que les Blancs. Nous devons être meilleur(e)s pour être éventuellement égaux ou égales.

Un ami me dit, après avoir vu la pièce *Papa doit manger*, de Marie NDiaye, à la Comédie-Française :

« Quand même, ça fait drôle ce père noir avec une fille blanche ! »

C'est l'histoire d'un père qui revient après avoir plus ou moins abandonné sa famille. Ce père est noir, la mère est blanche et les deux petites filles métisses. L'une des actrices était métisse, Léonie Simaga, l'autre blanche, d'origine espagnole, à la peau mate, Coraly Zahonero. Mon copain ne trouvait pas cela crédible.

Pourtant, quand j'étais en quatrième au lycée Lamartine, une camarade de classe avait un père noir et une mère blanche. Elle-même était blanche et je l'enviais.

Je connais une autre métisse blanche dont le père est noir. Moi, je me battais pour qu'on accepte que ma mère soit blanche. Elle, elle se battait pour qu'on la croie quand elle disait que son père était noir.

J'ai en mémoire *Cotton Club*, où l'une des artistes métisses finit par passer pour blanche pour pouvoir entrer dans le club où les artistes noirs jouaient, mais dans lequel les Noirs et les Métis n'avaient pas le droit d'aller.

Dans *Secret and Lies*, Mike Leigh raconte l'histoire d'une fille noire qui retrouve la mère blanche qui l'a abandonnée.

Pourtant…

Mon amie Angelina vient dîner chez ma mère. Plus tard, elle me dit :

« J'ai beau le savoir, n'empêche, cela m'a fait drôle quand ta mère a ouvert la porte. »

Angelina est blonde, aux yeux bleus. Son père est italien, du Sud, très brun, la peau olive. Sa mère est belge flamande, le teint clair : elle-même m'a souvent raconté qu'on ne la prenait pas pour la fille de son père… C'est curieux comme les gens se dépêchent de vous rapporter ce qu'on leur a dit.

ÉPILOGUE

Écrire ces pages est difficile. Cela me fait mal et cela me fait peur. Je n'étais pas une militante de la cause noire en tant que Métisse, je n'ai jamais eu envie de l'être, parce que c'est un dilemme pour moi. Il faut encore que je choisisse entre mes parents. Mais, comme tous les Métis que je connais, j'ai été obligée de devenir cette militante. Si j'avais été blanche, j'aurais pu être cette militante sans qu'on m'accuse stupidement de « communautarisme ». De quelle communauté s'agit-il ?

J'ai été une militante des droits des femmes bien davantage que de la couleur. Je suis plus concernée par les maltraitances sur les enfants que par n'importe quelle autre cause. Je n'ai jamais eu envie d'être réduite à une couleur, mais le regard qu'un certain monde a posé sur moi – et j'inclus mes père et mère – m'a réduite à une couleur de peau.

« [...] Tout. Langue, habits, dieux, danse, habitudes, décoration, chant – tout cela, cuit ensemble dans la couleur de ma peau[107] [...] »

---

107. Toni Morrison, *A Mercy*, New York, Alfred A. Knopf Publishing, 2008, (réédition Vintage Books, 2009).

Il faut beaucoup de force pour ne pas « avoir la haine » comme me disait un jour un camarade blanc. Il faut aussi passer sur ces ami(e)s qui ne vous croient pas quand vous leur racontez ce que vous vivez, qui pensent que « c'est dans votre tête », que cela vient de vous. Cela a au moins le mérite de faire un gros tri dans vos relations, mais vous vous sentez seule.

Certaines personnes vous aiment beaucoup, et c'est aussi parce qu'elles vous aiment beaucoup que cela leur est difficile d'entendre. Vous aimeriez cependant qu'elles entendent. Vous aimeriez que le garçon qui dort à vos côtés comprenne et ne dise pas qu'il a, parce qu'il est musicien de jazz, souffert du racisme à l'envers. Vous aimeriez qu'aucun Blanc ne vienne vous raconter qu'il a souffert un instant du racisme aux Antilles. Je ne suis pas très empathique, je dois l'avouer.

Quand un Blanc revient des Antilles où il était généralement pour les vacances ou pour le travail – quelle chance ! – et qu'il me dit que les Antillais, qui sont majoritairement au chômage – lequel est lié à leur histoire – sont racistes, que voulez-vous que je dise ? Je ne me sens pas la représentante des Antillais. Je ne connais pas vraiment les Antilles. Mais je sais combien coûte la nourriture dans les supermarchés détenus par les békés : plus cher qu'à Paris. J'aurais envie de répondre : « Ben, n'y allez pas ! »

Moi je n'y vais pas. Être aux Antilles, c'est être en colère. Je ne veux pas être en colère tout le temps.

Ou bien j'y vais, comme une continentale que je suis, et je me baigne dans l'océan, je vais voir ma grand-mère, mes cousines et je ferme les yeux sur tout ce qui me fait mal, de l'odeur de la déchetterie, qui envahit la petite maison usée de ma tante, aux Blancs métropolitains qui captent toutes les sources de travail, des Noirs aux petits commerces de rue aux grandes surfaces détenues par les békés qui détiennent toute la richesse de l'île.

Oui, il y a eu des moments où j'aurais préféré être moins noire pour que l'on voie que je suis métisse, moins noire pour qu'on m'aime, moins noire pour que l'on cesse de me dire qu'on ne m'aimera pas parce que je suis noire. J'ai longtemps voulu les beaux cheveux longs et bouclés de la parfaite métisse pour ressembler à une fille, pour rejeter mes cheveux en arrière et plaire aux garçons. J'aurais aimé avoir les yeux bleus, comme mon arrière-grand-père martiniquais, comme tous ces Métis que j'ai vus aux Antilles.

Enfant, dans mon lit, je regardais mes mains en répétant « Noire, Noire » pour essayer de comprendre ce que les autres voyaient que je ne voyais pas.

J'ai dit à mon père que je l'aimais beaucoup mais que je l'aimerais plus s'il était blanc.

J'avais entendu à la radio qu'une femme américaine s'était réveillée blanche, j'ai prié pour que cela m'arrive.

Je ne voulais pas être blanche, je voulais qu'on me laisse tranquille.

Comme dit Greta Garbo :

« *I only asked to be left alone, not to be let alone*[108]. »

Pas toute seule.

Richard Wright, l'auteur d'*Invisible Man*, a dit :

« Je suis un homme déchiré, je suis noir et j'appartiens à l'Occident. »

---

108. « J'ai seulement demandé qu'on me laisse tranquille, pas qu'on me laisse seule. »

Épilogue

Je ne suis pas une femme déchirée parce que je suis métisse et que j'appartiens à l'Occident.

Je suis métisse, née à Montargis, dans le Loiret, j'appartiens à l'Occident.

Je suis européenne.

Comme dit la jeune Charlotte dans mon émission, j'ai toujours aimé que ma mère blanche et mon père noir se soient rencontrés.

J'ai d'autres tourments.

Mais c'est un autre livre.

REMERCIEMENTS

Je remercie Sophie Vouteau pour m'avoir proposé d'écrire ce livre. Je la remercie de sa ténacité, de ses encouragements, de sa joie de vivre. Je la remercie de m'avoir poussée dans mes retranchements. Avec elle, je remercie Jean-Charles Gérard et toute l'équipe de Max Milo, Adrien, Christophe, Anne-Ségolène, Ariadine, Benjamin, Alain, pour leur soutien et leur engagement auprès des auteurs. Je veux citer mon professeur Pierre Vial qui m'a toujours encouragée et soutenue, ainsi que Monique Hermant, ma professeure du cours Dullin, dont la confiance en moi ne laissa pas de m'étonner. Je remercie mon agent, Djouhra, ma petite lumière bouddhiste. Une pensée pour mes ami(e)s fidèles qui m'aiment et me supportent bien que « je sois devenue noire sous les amoureux pincements de Phœbus ». Et surtout, je suis profondément reconnaissante envers mon amie Anne Jacqueline pour son affection, son implication, ses relectures patientes et attentives.

Références bibliographiques

Sites Internet

People of Color in European Art History
http://medievalpoc.tumblr.com/

Jason deCaires Taylor
http://www.underwatersculpture.com/sculptures/
viccisitudes/

The National Archives, Black Presence
htpp://nationalarchives.gov.uk

Livres

BERNAL, Martin, *Black Athena, les racines afro-asiastiques de la civilisation classique*, tome 1 : *L'invention de la Grèce antique*, et tome 2 : *Les sources écrites et archéologiques*, Paris, PUF, 1996 et 1999.

BARONIAN, Jean-Baptiste, *Baudelaire*, Paris, collection « Folio biographies », Gallimard, 2006.

CHALAYE, Sylvie, *Du Noir au nègre. L'image du Noir au théâtre (1550-1960)*, Paris, L'Harmattan, 1998.

CHATEAUBRIAND, François-René (de), *Mémoires d'outre-tombe*, Paris, collection « Bibliothèque de la Pléiade », Gallimard, 1951.

Encyclopédie méthodique, vol. 3, « Histoire » article « mulâtres », supplément Panckoucke [1788] à l'*Encyclopédie ou Dictionnaire raisonné des sciences, des arts et des métiers* de Diderot et d'Alembert, CD Rom Redon Éditions, 2000.

COHEN, William Benjamin, *Français et Africains. Les Noirs dans le regard des Blancs 1530-1880*, Paris, collection « Bibliothèque des histoires », Gallimard, 1981.

ESTRADE, Paul, *Severiano de Heredia. Ce mulâtre cubain que Paris fit « maire », et la République, ministre*, Paris, Les Indes savantes, 2011.

GUTH, Paul, *Histoire de la littérature française*, Paris, Fayard, 1967.

KELMAN, Gaston, *Je suis noir et je n'aime pas le manioc*, Paris, Max Milo, 2004, réimpr. en poche, Paris, 10/18, 2005.

KOTT, Jan, *Shakespeare, notre contemporain*, Paris, collection « Petite bibliothèque Payot », Payot, 2006.

KOVÁTS-BEAUDOUX, Édith, *Les Blancs créoles de la Martinique. Une minorité dominante*, Paris, L'Harmattan, 2002.

MATHOREZ, Jules, Henri, Michel, *Histoire de la formation de la population française. Les étrangers en France sous l'Ancien Régime*, tomes 1 et 2, Paris, Édouard Champion, 1919 et 1921.

MONTESPAN, Françoise-Athénaïs de Rochechouart de Mortemart (marquise de), *Mémoires*, vol. 1, Paris, Mame et Delaunay-Vallée, 1829.

Morrison, Toni, *Playing in the Dark. Whiteness and the Literary Imagination*, New York, Publisher Harvard University Press 1992.

Ndiaye, Pap, *La Condition noire. Essai sur une minorité française*, Paris, Calmann-Lévy, 2008.

Sala-Molins, Louis, *Le Code Noir ou le calvaire de Canaan*, Paris, PUF, 1987, réimpr. collection « Quadrige », Paris, PUF, 2011.

Schmidt, Nelly, *Histoire du métissage*, Paris, Éditions de La Martinière, 2003.

Shakespeare, William, *Antony and Cleopatra*, 1607.

Tocqueville, Alexis (de), *De la Démocratie en Amérique*, vol. 2, Michel Lévy, éd. 1866.

Voix d'Afrique n° 87, juin 2010.

Radio

Modestine, Yasmine, *Métis nous sommes des 200 %, deux sangs pour sang*, pour l'émission *Surpris par la Nuit* d'Alain Veinstein, France Culture, 2006.

TV

Baron, Philippe, *Le Métis de la République*, téléfilm documentaire, 52 minutes, Pois Chiche Films, France 3, 26 octobre 2013.

Table des matières

Composition :
L'atelier des glyphes

Achevé d'imprimer en mai 2015
par Dupli-Print à Domont (95)
N° d'impression : 2015051924
Imprimé en France